A Casa do Escritor

A Casa do Escritor

Coordenação editorial: **Ronaldo A. Sperdutti**
Capa, projeto gráfico e editoração: **Ricardo Brito | Estúdio Design do Livro**
Imagens da capa: **Ambient Ideas | Shutterstock**
Jenny | Stock Free Images
Revisão: **Maria Aiko Nishijima e Katycia Nunes**
Impressão: **Gráfica Santa Marta**

Ficha catalográfica elaborada por
Lucilene Bernardes Longo - CRB-8/2082

Patrícia (Espírito).
A Casa do Escritor / ditado pelo Espírito Patrícia ; psicografado pela médium Vera Lúcia Marinzeck de Carvalho. – 28. ed. – São Paulo : Petit, 2014.
248 p.

ISBN 978-85-7253-236-5

1. Espiritismo 2. Psicografia 3. Romance espírita I. Carvalho, Vera Lúcia Marinzeck de. II. Título.

CDD: 133.93

Impresso no Brasil.

Prezado(a) leitor(a),

Caso encontre neste livro alguma parte que acredita que vai interessar ou mesmo ajudar outras pessoas e decida distribuí-la por meio da internet ou outro meio, nunca deixe de mencionar a fonte, pois assim estará preservando os direitos do autor e, consequentemente, contribuindo para uma ótima divulgação do livro.

39-3-25-5.000-238.500

VERA LÚCIA
MARINZECK
DE CARVALHO

Ditado pelo Espírito PATRÍCIA

A Casa do Escritor

Av. Porto Ferreira, 1031 - Parque Iracema
CEP 15809-020 - Catanduva-SP
17 3531.4444
www.petit.com.br | petit@petit.com.br
www.boanova.net | boanova@boanova.net

Livros da médium
VERA LÚCIA MARINZECK DE CARVALHO

Com o Espírito Antônio Carlos

- *Reconciliação*
- *Cativos e Libertos*
- *Copos que Andam*
- *Filho Adotivo*
- *Reparando Erros de Vidas Passadas*
- *A Mansão da Pedra Torta*
- *Palco das Encarnações*
- *Histórias Maravilhosas da Espiritualidade*
- *Muitos São os Chamados*
- *Reflexos do Passado*
- *Aqueles Que Amam0*
- *Novamente Juntos*
- *A Casa do Penhasco*
- *O Mistério do Sobrado*
- *O Último Jantar*
- *O Jardim das Rosas*
- *O Sonâmbulo*
- *O Céu Pode Esperar*
- *Por Que Comigo?*
- *A Gruta das Orquídeas*
- *O Castelo dos Sonhos*
- *O Ateu*
- *O Enigma da Fazenda*
- *O Cravo na Lapela*
- *A Casa do Bosque*
- *Entrevistas com os Espíritos*
- *O caminho das estrelas*

Com o Espírito Patrícia

- *Violetas na Janela*
- *A Casa do Escritor*
- *O Voo da Gaivota*
- *Vivendo no Mundo dos Espíritos*

Com o Espírito Rosângela

- *O Difícil Caminho das Drogas*
- *Flores de Maria*

Com o Espírito Jussara

- *Cabocla*
- *Sonhos de Liberdade*

Com espíritos diversos

- *O Que Encontrei do Outro Lado da Vida*
- *Deficiente Mental: Por Que Fui Um?*
- *Morri! E Agora?*
- *Ah, Se Eu Pudesse Voltar no Tempo!*
- *Somente uma Lembrança*

Livros em outros idiomas

- *Violets on the Window*
- *Violetas en la Ventana*
- *Violoj sur Fenestro*

Aos meus queridos amigos:

Recebo muitos pedidos para continuar trabalhando na literatura. Embora eu fique emocionada com tanto carinho, peço aos meus leitores que me perdoem por não escrever mais. Tive como tarefa fazer quatro livros,[1] narrar o que vi, o que encontrei e o que senti no plano espiritual. Concluídos esses livros fui realizar meu sonho, pois quando estava encarnada, estudava, lecionava e queria continuar fazendo isso.

---

1. Os quatro livros de Patrícia: *Violetas na janela, Vivendo no mundo dos espíritos, A casa do escritor* e *O voo da gaivota*. Todos editados pela Petit Editora.

Atualmente moro numa colônia de estudo e não vou ao plano físico, a não ser em raros momentos; quando vou, é somente para rever meus familiares. Meu trabalho não inclui visitar centros espíritas, nem ditar mensagens, escrever livros ou prefaciá-los.

Amo muito vocês que me amam, que gostam do que escrevi e tenho certeza de que me compreenderão.

Da sempre amiga amorosa,

Patrícia

Sumário

Prefácio

É sempre um prazer termos em mãos uma obra de encantos mil. É com orgulho carinhoso que prefacio esta obra. A Casa do Escritor é meu lar, amo o trabalho que ela promove.

Patrícia, com sua linguagem simples e jovem, descreve-a tão bem que nos comove. É deveras A Casa do Escritor como foi narrada. É um polo positivo da Literatura Brasileira e, principalmente, da Espírita, que tanto bem e tantas instruções tem semeado.

A jovem escritora, que por algum tempo abrilhantou com sua presença nossa adorável colônia, soube bem tirar proveito de todos os instantes aqui presentes e até nas simples conversas valeu-se da oportunidade para a conhecer. Com os trabalhos de equipe conseguiu ser útil. E em todos os eventos conseguiu aproveitar o máximo para depois escrever este livro.

A Casa do Escritor é uma realidade que nossa Patrícia tão bem expõe a seus leitores. Espero que este livro seja um incentivo a todos os que trabalham com a literatura edificante. E também aos que possam vir a trabalhar.

Felizes os que se instruem e fazem de seus conhecimentos alimentos saborosos para aqueles que anseiam por conhecer.

Caros leitores, aqui está uma obra fantástica, um bocadinho de frutos do Saber sobre o plano espiritual. E que tão bem Patrícia nos descreve.

Alegria!

Antônio Carlos
São Carlos, SP – 1993

Capítulo 1

A colônia de estudo

Como foi diferente o estado de alegria que senti quando chegou o momento de iniciar nova etapa de estudo. Um profundo júbilo preencheu toda minha alma, à revelia do meu controle mental. Veio-me à memória o dito do grandioso Nazareno aos seus discípulos. Trechos que tirei, para meditar, do Evangelho de João, dos capítulos 14 e 15. Eu vos dou a minha paz, vos dou a alegria, para que completa seja vossa paz, repleta a vossa alegria.

Que paz e alegria eram essas? Pois foram dadas por um homem que não possuía nada, não desfrutava de bens mundanos. E, mais ainda, foram ditas antecedendo horas de muitas dores e tristezas, fatos e dificuldades que Ele iria enfrentar.

A paz e a alegria que Jesus distribuía não estavam ligadas ao nosso modo de ver e viver. E, no entanto, eram vividas por um homem de carne, osso e espírito como nós.

Quando encarnados, nossa alegria está ligada a sensações e prazeres dos sentidos, e até à satisfação de uma conquista mental, seja de força ou de erudição. A felicidade que buscamos no plano físico é sinônimo de ociosidade, prazer e ausência de dificuldades. Não conseguimos compreender que as dificuldades, quando não criadas por nós mesmos, são por via de regra instrumentos da natureza que não nos deixam cair na inatividade, pois a monotonia é a própria morte. A natureza é vida que se renova incessantemente.

Como num acender de luzes, compreendi que a alegria perene não pode estar ligada a pessoas ou coisas. Não pode depender de estímulo nenhum para que aconteça. É um estado de ser em ventura, sem limites, por saber compreender. É viver a vida pela vida e não para ganhar alguma coisa ou atingir um fim.

Conheci a felicidade real.

Dois anos se passaram, nos quais fiquei aprendendo na Colônia de Estudo Casa do Saber. Foi um período maravilhoso em que muito aprendi, fiz novos amigos, amadureci espiritualmente. Recordo que, ao chegar à Casa do Saber, emocionei-me até as lágrimas e exclamei comovida:

– Esta colônia é linda! Que lugar de encantos e sonhos!

De fato, a Casa do Saber é um lugar que, para os encarnados, só poderia comparar-se a encantadores sonhos.

Antônio Carlos, meu amigo querido, acompanhou-me. Volitamos tranquilos.

– Patrícia, vamos agora devagar. Observe a colônia, é ali, naquele ponto radiante.

Vi um ponto luminoso branco e logo já distinguia os prédios e jardins. A colônia não é cercada. É fantástico vê-la quando estamos volitando. Meu amigo me esclareceu:

– A colônia de estudo não tem sistema de defesa. Todos que nela habitam vibram numa mesma intensidade, sustentando-a. E só consegue vê-la quem vibra igual.

A colônia está suspensa no ar, como que em cima de uma grande e sólida nuvem. Para os encarnados, no lugar não existe nada, não é perceptível à visão deles e, também, dos desencarnados que não se sintonizam com suas vibrações.

Descemos no círculo que está em sua volta. Para que me entendam: na parte sólida em que está a colônia, há um beiral de alguns metros e logo depois estão seus prédios e pátios.

Sorri encantada e atendi ao convite do meu cicerone.

– Vamos entrar, Patrícia. Primeiramente iremos cumprimentar o diretor da casa.

Caminhamos. Não há diferença do solo das outras colônias. A Casa do Saber é uma colônia pequena e está dividida por ruas. Andamos tranquilos, nada de desconfiança. As pessoas que encontramos sorriam cumprimentando-nos. Olhava tudo curiosa. Tudo tão lindo! O ar, perfumado; a brisa, suave; os prédios, harmoniosos. É uma colônia encantadora, na qual poderia passar horas só olhando o conjunto, a colônia em si.

Paramos em frente de um prédio e entramos. Numa porta, com uma placa escrita "Diretoria", meu amigo bateu e logo ela foi aberta. Antônio Carlos abraçou efusivamente um senhor de agradável aspecto, que em seguida veio até mim.

– Esta é Patrícia de quem lhe falei.

– Sou Alfredo. Encantado por tê-la conosco. Já escutei falar muito de você. Então, gostou da nossa colônia?

– Oh! parece-me encantadora. O prazer é meu de estar aqui, sou grata pela acolhida. Amo aprender. Estar aqui é tudo o que almejo no momento.

Alfredo é muito agradável, olhar inteligente e sorriso amável. Por alguns momentos, os dois passaram a trocar notícias de amigos comuns. Enquanto isso, observei a sala da diretoria: tudo ali exprimia paz. Era espaçosa, com móveis claros, bonitos quadros na parede e vasos com flores. Bem atrás da escrivaninha estava bordada a Oração de São Francisco de Assis, tão conhecida de todos nós. Em todos os lugares onde há equilíbrio, onde se cultiva a paz e harmonia, há um encanto especial, tudo se torna maravilhoso. E por toda a colônia reina a alegria de se estar bem consigo mesmo.

– Patrícia – disse Alfredo, gentil –, vou pedir a Rosely que a acompanhe numa excursão pela colônia para que a conheça.

Tocou suave campainha e uma moça loura, muito bonita, sorriso franco, entrou na sala.

– Oi, sou Rosely.

– Eu, Patrícia.

Sorrimos, foi como se a conhecesse há muito tempo. Antônio Carlos me elucidou:

– Patrícia, aqui terá sempre esta sensação de conhecer todos. É uma união por vibração. Estou contente, pois vejo que está a vibrar em harmonia com todos aqui.

– Venham comigo, terei um enorme prazer de mostrar a colônia para vocês.

Despedimo-nos de Alfredo e emocionados acompanhamos nossa jovem cicerone.

A colônia não é grande. Conhecemos sua parte externa em meia hora, representando-nos minutos que passei extasiada. Acompanhava as explicações de Rosely.

– Este prédio é o da Orientação. Aqui estão os gabinetes dos professores e da diretoria. Este outro é o das salas de aula, da biblioteca e das salas de vídeos. Aí estão as salas de palestras.

Devido às muitas palestras que podem ocorrer ao mesmo tempo, são várias as salas, tendo uma bem grande para maior número de assistentes e que serve também para o teatro. Este prédio é simples, bem decorado, tendo lindos quadros e muitas flores. As cadeiras são giratórias e muito confortáveis. É tudo harmonioso, convidando à meditação e à prece.

– Este aqui é o prédio destinado aos alunos. Venham, vamos entrar.

É uma construção de quatro andares, toda dividida em gabinetes. Tudo muito limpo e claro. Não posso denominar este espaço particular a cada um de quarto. Aqui não se dorme e nem se alimenta. É um cantinho onde se estuda, se medita, se ora etc. Rosely nos levou ao que me foi destinado. É uma sala grande, arejada, que chamarei de gabinete.

– Que lugar encantador! – exclamei comovida.

Emocionei-me e fiquei alegre por ser ali o lugar em que passaria horas, no longo período que permaneceria na Casa do Saber. Havia uma escrivaninha toda trabalhada, linda. Uma estante, dois sofás e uma mesinha, onde estava um lindo vaso com florzinhas azuis. A janela dava para o pátio todo florido. Estranhei por não haver abajures, lustres, ou algo que demonstrasse haver luz artificial. Antônio Carlos, como sempre lendo meus pensamentos, sorrindo, tratou de esclarecer-me.

– Aqui não escurece. A luz do sol brilha sempre. Colônias nesta dimensão não seguem a rotação da Terra. Estão fixas e recebem os raios benéficos do nosso astro rei o tempo todo.

– Então, não é como a Colônia São Sebastião, que está sempre no espaço da cidade de São Sebastião do Paraíso? – indaguei curiosa.

– Não, colônias de estudo, e também algumas outras, não estão vinculadas a determinados lugares, embora estejam no espaço da Terra, no todo. Aqui existem algumas colônias que são para servir ao povo brasileiro, logo depois estão as de outros países; muitas são para todos os terráqueos, que se comunicam pelo esperanto e pelo pensamento.

– Sensacional! Não verei a noite! – exclamei.

– A noite tem seu encanto – disse Antônio Carlos. – Mas você a verá, sempre que visitar a Terra, os familiares e as colônias de socorro.

– E como saberei quando é noite lá na Terra? – indaguei novamente.

– Para ter um controle no calendário, a colônia segue o horário, com o dia e hora do Brasil. Temos também aqui a sala do relógio, nesse local há o horário de todos os países da Terra.

– Antônio Carlos – quis saber curiosa –, como achou a colônia entre tantas? Veio tão fácil!

– Pela sintonização, mentalizei a Casa do Saber e vim pela vibração. Logo aprenderá a usar este processo, porque irá se locomover muito, e sozinha. Já é bem grande e autossuficiente para sair sozinha.

Rimos com a brincadeira.

Trouxe poucos objetos, que deixei sobre a escrivaninha. Quando fiquei só, organizei-os. Coloquei alguns livros na estante, cadernos de anotações na escrivaninha e as fotos de meus familiares na parede e na minha mesa de trabalho. Não trouxe nada de pessoal. Não trocava mais de roupa. Visto calças compridas largas e camiseta azul-clara. Sinto-me bem assim.

Fomos conhecer o restante da colônia.

– Aqui é a parte mais bonita – disse Rosely.

Parei deslumbrada com a encantadora paisagem. Tudo parecia brilhar, como se o local fosse pontilhado com centenas de estrelinhas. Sentia-me leve como uma nuvenzinha a bailar com a brisa suave. À minha frente estava o harmonioso e fenomenal jardim da Casa do Saber. Muitas árvores, todas perfeitas, sadias e floridas. As variedades são tantas que não há duas árvores da mesma espécie. Estão sempre floridas. Suas flores de diversas cores e perfumes dão à visão total uma combinação de tonalidades que encanta. As árvores parecem desfilar tranquilas, ensinando-nos a ser equilibrados e harmoniosos para o bem de quem nos vê. Muitos são os canteiros entre as árvores, onde existem flores delicadas, coloridas, que brilham. Formam frases e figuras convidando a reverenciar o Criador. Muitos bancos estão espalhados por todo o jardim e são confortáveis: alguns de balanço e outros embaixo de caramanchões floridos.

– Aqui, também, costumamos ouvir palestras de convidados de outras esferas, que sempre nos brindam com seus ensinamentos – disse Rosely, chamando-me de volta à realidade, porque, diante de tanto encanto, pareceu-me por instante que eu fazia parte da própria natureza, comungando por momentos com as belezas que via ali. Antônio Carlos sorria ao me ver deliciando.

– É tão bom estar em um lugar de paz, hein, Patrícia!

Sorri, concordando. Qualquer opinião minha seria pouco para descrever tanta harmonia.

– Neste recanto – disse Rosely, mostrando a ala direita – estão o lago e a cascata.

Um pequeno rio brota do solo, corre uns cinquenta metros e forma um pequeno lago. Suas águas claras e cristalinas deixam ver, no fundo, suas pedras de diversos tamanhos e cores. Não resisti e coloquei minhas mãos n'água. Sua temperatura é como o ambiente, agradável, e é tão leve que não nos molha; levei-a aos lábios e não pude compará-la à mais pura das águas do planeta Terra, é bem melhor. Dei um suspiro, que fez meus companheiros sorrirem, e exclamei extasiada:

– Que beleza!

Do outro lado do lago está a cascata, a água desce entre plantas e flores, e depois entra no solo, desaparecendo.

– Aqui é o lugar predileto para as meditações e o preferido dos pensadores – disse Rosely. – Agora vou levá-la à sala, onde sua turma está tendo a primeira aula.

– Despeço-me de você, Patrícia – disse Antônio Carlos. – Agora já conhece sua nova morada.

– Estou encantada e agradecida, Antônio Carlos. Obrigada por tudo.

Abraçamo-nos com carinho.

Entramos, Rosely e eu, no prédio das salas de aula; sentia-me emocionada. Atravessamos vários corredores e paramos diante de uma porta na qual minha cicerone bateu levemente. A porta se abriu e um senhor de agradável aspecto nos cumprimentou, sorrindo.

– Boa tarde! Sou Leonel.

– Boa tarde! Sou Patrícia.

Uma nota curiosa: na Casa do Saber usa-se muito o cumprimento "A paz esteja convosco" ou "A paz seja convosco!" Às vezes, costumam dirigir-se um ao outro com um oi ou um olá. Como não escurece, não se fala nunca o boa-noite. Mas, de vez em quando, costumam-se ouvir os cumprimentos tradicionais da Terra, de bons presságios, como bom-dia e boa-tarde. Realmente, se desejados de coração, recebemos com os cumprimentos votos de harmonia.

– Entre, por favor.

Leonel dirigiu-se a mim gentilmente e virando-se para a turma me apresentou:

– Esta é mais uma aluna. Seu nome é Patrícia. – Depois dirigiu-se a mim e completou: – Fique à vontade, logo conhecerá todos. Acomode-se.

Instalei-me numa escrivaninha. Olhei a sala, era grande, espaçosa, e havia quarenta alunos que me olharam sorrindo. Senti-me à vontade.

Logo no primeiro intervalo, me enturmei. Todos eram excessivamente agradáveis. Já não se conversava mais sobre desencarnações, ou sobre o que se era agora, ou o que havia sido quando encarnado. O assunto preferido era em torno de estudos. Encantei-me com todos.

Assim, com os dias sempre calmos e o horário todo preenchido, o tempo passou rápido, como sempre acontece quando estamos felizes.

A Casa do Saber foi meu lar por dois anos consecutivos. A maior parte do tempo passei nas salas de aula, nas salas de palestras e no Recanto da Paz, como é chamado o jardim da colônia. Ali, vendo as flores e a cascata, muito pensei, meditei sobre o que aprendia. Amadureci muito, sentia-me uma nova Patrícia, equilibrada, mais feliz ainda; só não mudara minha sede de saber, de conhecer.

Tive, nesse período, muitos mestres que foram verdadeiros amigos e dos quais guardo os melhores sentimentos de gratidão e recordações.

Aprendi muito sobre os Evangelhos e o plano espiritual. Passei a falar corretamente o esperanto e a me comunicar pelo pensamento e, no final do curso, só nos comunicávamos assim. Visitamos outras colônias de estudo na mesma área, eram todas um tanto parecidas, cada qual com seu encanto. Fomos a muitas colônias de outros países, onde treinamos o esperanto e a comunicação pelo pensamento. Essas excursões nos maravilharam: é sempre agradável conhecer e fazer novos amigos.

O estudo na colônia é também uma complementação do que fiz anteriormente e que descrevi no livro *Vivendo no Mundo dos Espíritos*. Muito vi e aprendi. Mas maravilhava-me cada vez mais com os conhecimentos que adquiria e ansiava por continuar sempre aprendendo.

Tínhamos muitas horas de estudo por dia, que completávamos com muitos trabalhos em grupos. Fiz muitas amizades: todos os habitantes da colônia eram e são meus amigos, mas sempre há alguns que nos completam mais, são mais afins. Entre eles, uni-me com sincero carinho à Lúcia, à Inês e ao Murilo.

Reuníamo-nos em grupinhos nos gabinetes, ora de um, ora de outro, para trocar ideias. No começo, conversávamos, e depois o grupo ficava em silêncio e a comunicação era feita pelo pensamento. Éramos alegres sem ser alvoroçados. Reuníamo-nos também no jardim, sempre debaixo de algum caramanchão, sentados nos bancos confortáveis, tendo por companhia as frondosas árvores que nunca deixei de admirar.

Tínhamos momentos livres, em que tanto podíamos receber visitas, quanto sair e fazer visitas. Aprendi logo a me locomover nesta esfera e a achar com facilidade a Casa do Saber. Nas minhas horas livres, ia à Colônia São Sebastião rever amigos ou visitava, na Terra, meus familiares, sempre ditando mensagens a eles.

Há sempre muitos estudantes nessas colônias. Todos unidos pelo objetivo de aprender; são espíritos afins. A turma dos veteranos se une em conversação sadia com os novatos e o assunto preferido é o que se estuda no momento. Frequentávamos muito a biblioteca e íamos sempre às salas de vídeos. Não eram somente meus lugares preferidos, mas de todos. Nessas salas acha-se de tudo, seus assuntos são completos. Não só íamos lá para fazer os trabalhos, mas também, nas horas de lazer, para ver ou rever fitas ou livros de nosso agrado.

Nesta colônia ou em colônias assim, não há mais o tão comentado bônus-hora, que é uma forma de pagamento por trabalhos prestados, como um incentivo para ser útil, sendo usado nas colônias de socorro. Tudo o que se faz numa colônia de estudo é por prazer, por vontade. Sente-se imensa gratidão por se estar ali. Só quem almeja o saber e ama o aprender, se realiza numa colônia de estudo. Para mim, foram dois anos de imensas alegrias, em que tive o prazer de desfrutar a harmonia dessa colônia encantadora.

Capítulo 2

Colônia Triângulo, Rosa e Cruz

Lembrei-me dos ensinos que ouvi de meu pai e que só vim a compreender agora, após tanto estudo. É um ensinamento sobre sintonia e unidade.

A lagarta, na sua estafante peregrinação pelo solo e galhos, à caça de folhas, não se descuida um segundo sequer da sua união com a natureza. No término do seu tempo como lagarta, procura um local adequado, fecha-se em si mesma e entrega-se ao Criador. Findo o tempo necessário, renasce como borboleta com vida e ação completamente diferentes da sua vida anterior. Que fantástico! Que exemplo nos dá esta filha da natureza.

Com os homens, os acontecimentos tornam-se complexos. A maioria tem contornos de dor e sofrimento. Perdemos a sintonia. Não sabemos mais confiar no Criador. Afastamo-nos e, dessa forma, ficamos fragmentados, separados do centro comum, que é Deus. Consequentemente nos agarramos à forma atual, impermeáveis a modificações naturais. Só à custa da ajuda de irmãos dedicados conseguimos pouco a pouco atingir estados que poderiam ser alcançados quase de imediato.

Com a morte do corpo físico, se somos socorridos em postos de socorro, levamos conosco costumes, vícios, condicionamentos à comida e bebida, e até superstições e sectarismo religioso. O que a lagarta faz inconscientemente, temos de realizar conscientes. Aos poucos vamos abandonando as necessidades de alimentação, depois aprendemos a nos comunicar pelo uso da linguagem universal. Ultrapassando isso, não necessitamos mais de símbolos da linguagem. Comunicamo-nos com vibrações mentais, chegando assim bem próximos do silêncio verbal e mental, quase prontos para, nesse silêncio, ouvir o que Deus tem a nos dizer.

Foram feitas várias excursões, durante o curso, a outras colônias, postos de socorro, umbral, hospitais, e a lugares que já descrevi no livro *Vivendo no Mundo dos Espíritos*. Encantei-me de modo especial com as excursões a outras colônias de estudo e às do plano superior, onde passamos horas de agradável convívio e inebriados com tantas belezas.

Foi enorme alegria para o meu coração visitar a Colônia Triângulo, Rosa e Cruz. Essa colônia é intermediária entre o Oriente e o Brasil. É habitada por orientais e brasileiros, visando a um aprendizado maior entre as duas culturas, principalmente quanto à sabedoria que nos une a Deus.

Não é fácil descrevê-la para os encarnados. É algo deslumbrante, de belezas que encantam. Está no espaço ao centro do Brasil, não muito longe da Colônia Nosso Lar, um pouco mais para o Norte. Essa colônia é localizada pela vibração. Quando se quer encontrá-la, concentra-se e se é atraído para ela.

Saímos para visitá-la, nós, os quarenta alunos, um instrutor e um morador oriental da Triângulo, que viera para nos acompanhar. Fomos volitando um ao lado do outro. Ao nos aproximar, volitamos devagar para melhor apreciar o local. No espaço onde está a colônia, o céu é mais azul, o ar mais puro e rarefeito. De longe, a colônia parece um enorme castelo sobre as nuvens. Um encanto! O castelo é branco e brilha como uma delicada estrela.

– Parece que estou vendo um castelo de contos de fadas – disse Hércules, um colega.

Concordamos com ele. À medida que nos aproximávamos a visão do castelo ficava mais linda. Triângulo, como é chamada, não tem muro, as paredes são as suas divisas. Não possui nenhuma proteção nem aparelhos de defesa. É que essa colônia só é vista, encontrada, pelos que vibram muito bem e sabem concentrar-se e se guiar pela sua vibração.

Seu formato é de um triângulo, tendo em cada lado um portão. A colônia parece de cristal, tendo o brilho e a brancura que dão reflexos de muitas cores suaves. Nas paredes, do lado de fora, há desenhos em relevo e inscrições. São desenhos de figuras humanas em atitudes de oração e adoração ao Pai. Essa colônia é cópia das antigas, porém é uma das mais recentes colônias do Oriente, que existem há milênios. As inscrições são orientais, e algumas frases, em Português. Glorificam a Deus.

– Só por ver isto, me sinto realizada. Que maravilha! – exclamou Lúcia, outra companheira.

Possui sete torres arredondadas, sendo três mais altas. Seus telhados são em forma de triângulos e de tonalidade azul-clarinho, parecendo ser também de cristal. Paramos em frente ao portão principal.

– Vamos, por favor, ficar observando mais um pouquinho – pediu Fábio extasiado.

Era a vontade de todos. Passei a mão devagarinho na parede, senti o sólido da construção e pude observar de perto a delicadeza e a perfeição de seus desenhos. O portão é diferente dos que já vira no mundo espiritual; é muito bonito. Não é feito de nenhum metal que os encarnados conhecem, sendo difícil compará-lo com algo conhecido. É grande e tem um enorme emblema de formas perfeitas; foi idealizado por um excelente artista. Esse emblema é de um branco puro, um pouco diferente do branco que conhecia quando encarnada. Ele sobressai de tal forma que, ao apreciá-lo, parece que somente a ele vemos. Um encarnado, ao vê-lo, pensaria que fosse feito de pedras preciosas.

O oriental que nos acompanhava aguardou tranquilo que observássemos a parte externa da Triângulo. Quando nos agrupamos de novo, ele mentalizou por segundos e o portão se abriu. Certamente sabiam que estávamos do lado de fora, mas só foi aberto quando o oriental mentalizou. E a nossa primeira lição sobre a Triângulo foi dada pelo nosso acompanhante.

– O portão só abre ou fecha por sintonia da mente de um dos seus moradores.

– Genial! A mente aqui é como um controle remoto – exclamou Hyolanda.

– Um controle de alta precisão que não falha – disse nosso instrutor sorrindo.

– Aqui não escurece? Já era para ser noite. Daqui dá para ver a noite logo ali. Esta colônia não está vinculada à rotação da Terra? – indagou Míriam, outra componente do grupo.

– Sim – respondeu esclarecendo nosso instrutor. – Triângulo está na esfera que segue a rotação da Terra.

De fato, daqui de fora podemos ver o sol, ou a noite com suas estrelas. Mas a claridade na colônia é sempre amena, parece estar sempre numa manhã de sol de clima perfeito. Não há luz artificial. Mas seus construtores também projetaram a iluminação, que é sustentada continuamente pelos seus habitantes.

Fomos convidados a entrar. Atravessamos um *hall* ou um espaço grande coberto, todo em tons de azul. O piso era revestido de azulejos, mosaicos, ou algo parecido, e formava lindos desenhos. Nas paredes, inscrições e desenhos em relevo de flores e animais. Paramos para olhar. Peço desculpas aos leitores por não conseguir descrever tantas belezas que o cérebro físico desconhece, e não tenho, para certos objetos, nem como comparar.

– Que verdadeiras obras de arte! – exclamou Inês, encantada.

– Damos muito valor ao belo, à harmonia perfeita da arte que vem inspirada pelo Criador, para que todos, ao contemplar, possam reverenciar o Pai a quem tudo devemos – falou respeitoso o oriental.

Dali passamos a um pátio ao ar livre com lindos canteiros redondos e flores que eu desconhecia. O piso entre os canteiros parece ser de estrelas pequeninas, cintilantes, a brilhar ora umas, ora outras. Nunca vi jardim tão lindo nem flores de tamanho encanto. Aproximei-me de uma flor, que nos deu leve lembrança da nossa rosa. Uma flor brilhante, azul-clara, que exala um suave perfume.

– Que delicioso perfume! – exclamei admirada.

– Esta flor, Patrícia – disse nosso instrutor –, exala o perfume predileto de quem a cheira. Está aqui, linda deste jeito, como todas as outras, desde a inauguração desta colônia há muitos anos.

– Que maravilha! – exclamei.

Tentei passar a mão na flor, que se afastou; desviando seu galho para o outro lado.

– Oh! – disse baixinho a ela. – Não quero lhe fazer nenhum mal. Queira me desculpar, pois ia atrever-me a passar os dedos em suas delicadas pétalas.

A flor voltou ao seu lugar, afastara-se pelo seu instinto mais apurado. Não me atrevi a aproximar-me mais dela. Flores são para admirar, não para pegar. Por mim, não sairia mais daquele jardim, encantada com suas plantas. Admirava cada flor com seus formatos diferentes e cores harmoniosas. Mas o instrutor nos convidou a entrar.

– Vamos visitar as salas de audiência.

Os salões são de rara beleza, simples, com lindos quadros, nas paredes, de Jesus ensinando. Embaixo dos quadros, trechos dos Evangelhos, principalmente de Mateus, do *Sermão da Montanha*. Vasos de flores brancas estão sempre presentes, encantando o ambiente. Os salões são amarelo-claro. Em um deles, fomos convidados a sentar nas confortáveis poltronas, e um dos orientadores da casa veio nos abrilhantar com suas explicações.

– Sejam bem-vindos à Triângulo, Rosa e Cruz, prezados convidados.

Deu uma pausa e nos olhou sorrindo. Era oriental e, com fisionomia tranquila, transmitia uma paz que o tornava lindo. Vestia túnica branca com emblema no peito, o mesmo que vimos no portão. Muitos ali se vestem assim. Outros usam roupas ocidentais, mas predomina a roupa de cor branca.

– Primeiramente, quero lhes informar que esta colônia não está vinculada a religião nenhuma na Terra. Tem este nome porque triângulo é o seu formato. A rosa, nome de uma flor que tiramos da natureza numa linda manifestação de Deus. A cruz porque nós, os orientais, queremos nos aprofundar nos ensinamentos cristãos. Aqui estamos com o objetivo de trazer nossos melhores e reais conhecimentos à raça brasileira e, com ela, aprender cada vez mais. Aqui estamos para servir, trabalhar entre os encarnados e os desencarnados. E também preparar os ocidentais brasileiros para reencarnar no oriente, levando a países orientais ensinos cristãos. Agora, se quiserem fazer perguntas, estejam à vontade.

– Senhor, por favor, como devo dirigir-me a sua pessoa? – indagou Marystela. – Devo tratar o senhor por mestre? Pai?

– Mestre é aquele que ensina, pai é o que orienta. Aqui empregamos muito estas duas formas de tratamento. Minha cara convidada, sinta-se à vontade para dirigir-se a mim como quiser. Meu nome é Chuan.

– Mestre – disse Marystela sorridente –, está aqui há muito tempo? Pretende reencarnar? Onde? No Brasil ou no Oriente?

– Estou há bastante tempo aqui, onde ainda permanecerei por muitos anos. Não tenho data para reencarnar e devo retornar ao corpo físico no Brasil.

– Os moradores permanecem muito tempo aqui? – quis saber Laura.

– Só ficam mais tempo os orientadores. A maioria faz rodízio, ficam aqui e em colônias no Oriente. Muitos, após um curso, reencarnam.

– Os construtores desta colônia foram somente orientais? Estão ainda aqui? – indagou Inês.

– Sim, foram os orientais que a planejaram e construíram. A maioria veio somente para este evento e voltou ao Oriente. Alguns ficaram e três ainda estão conosco.

– Tem dado resultado este intercâmbio? – indagou Murilo.

– Sim. Embora nosso trabalho seja considerado como uma grande plantação que no futuro dará doces e sábios frutos.

Como ninguém indagou mais, Chuan concluiu.

– Aqui temos tentado nos despir de todos os preconceitos. Devemos ser todos iguais e esforçar-nos para nossa melhoria. Tanto que a orientadora geral desta casa nos tem dado inúmeros exemplos de bondade e dedicação. Esta colônia foi construída para o intercâmbio das duas raças e para tirar o melhor que há nas duas, para o bem de todos nós. Os orientais que desejam reencarnar no Brasil aqui fazem cursos de língua e costumes para melhor adaptação. Também orientamos os brasileiros que querem reencarnar no Oriente. Nosso principal objetivo é realizar-nos interiormente e levar com nossos exemplos outros a fazê-lo. Somos todos irmãos e devemos aprender a nos amar como tais.

– Que agradável palestra! – exclamou Lúcia. – É tão simples e cativante, que poderia ficar a ouvi-lo por muitas horas.

Concordamos com ela, mas nossa excursão tinha que seguir o horário já organizado. Fomos ver outro salão, o de música. Uma suave e delicada melodia se ouvia. Muitos dos moradores ali estavam desfrutando de suas horas de lazer, a escutar tão encantadoras melodias. É uma sala diferente, agradável, com lindos quadros na parede exaltando a música. Só se escutam canções do mundo espiritual.

Ao passarmos pelo pátio, vimos um grupo de encarnados entrando no salão. Admiramo-nos, surpresos. Uns se mostravam extasiados com tantas belezas; outros, talvez acostumados, viam tudo normalmente; uma minoria parecia um pouco alheia. O oriental que nos acompanhava, esclareceu.

– São encarnados filiados à nossa colônia. Seus corpos físicos estão dormindo. Sempre estamos recebendo grupos deles. Aqui são trazidos para receberem orientações e incentivos.

– Todos os filiados da Triângulo conseguem êxito nas encarnações? – indagou Murilo.

– Gostaríamos que todos fossem bem-sucedidos. A luta é igual para todos. Infelizmente há os que fracassam diante das dificuldades do plano físico.

O silêncio desta colônia é divino. Não se faz barulho ao caminhar. Pouco se fala. Quase sempre se ouvem conversas de grupos de visitantes. Entre os moradores só se usa a telepatia, a comunicação pelo pensamento.

Fomos visitar a biblioteca. Grande, espaçosa e silenciosa, nada se escuta. Com a nossa presença, o silêncio foi quebrado com algumas expressões de surpresa e com algumas perguntas. Suas estantes são trabalhadas, e do mesmo material com que é construída a Triângulo. Parece cristal. São poucos os livros de literatura brasileira.

Na maior parte, são religiosos e de cultura geral. No restante, são livros orientais. Alguns, traduzidos. Há livros raros, uns grandes, outros em papiro. Constituem cópias de livros que se encontram nas colônias orientais. Infelizmente não teríamos tempo para lê-los, só observamos. É a biblioteca da Triângulo um lugar encantador.

Subimos algumas torres. São tão lindas! Pudemos ampliar nossa visão, vimos a Terra de longe e de perto, como se estivéssemos num avião, voando mais baixo. Para subir na torre volita-se devagar.

Em seguida, fomos conhecer, ao lado direito, uma ala que se chama Lar de Repouso.

– Lá estavam os recém-desencarnados, filiados à Colônia Triângulo, onde se hospedam por um determinado tempo.

– Seriam todos os filiados socorridos e trazidos para cá logo após a morte do corpo? – indagou Jorge Luís.

– Não. Infelizmente só os que têm merecimento são socorridos após a morte do corpo e recolhidos no Lar do Repouso. Há os fracassados, que têm por afinidade lugares a que fizeram jus. Mas todos eles recebem nossa ajuda. Logo que possível são orientados, às vezes, por certo tempo, em outras colônias. Quando aptos, nós os trazemos ao lar.

Esta parte nos faz lembrar as acomodações das muitas colônias de socorro. Tudo é simples e com muitas flores. Ali vimos água. Um pequeno e encantador chafariz que, além de embelezar, serve aos hóspedes de alimento fluídico. Nosso acompanhante esclareceu:

– É o único alimento que temos na colônia. E está aqui no Lar do Repouso porque os alojados necessitam desta nutrição. Os outros habitantes da colônia não fazem uso da água, nem das plantas. Sustentam-se com o fluido vital do Criador.

A água é igual à da colônia de estudo. Não molha, é límpida. O chafariz é de cristal ou algo que se pode comparar a essa pedra para os encarnados terem uma ideia. É verde-claro e tem formato simples. Os recém-chegados gostam de sentar-se à sua volta. Um deles nos diz:

– Só de ver o chafariz sinto-me alimentado.

A ala tem alojamentos, onde os abrigados descansam.

Ficamos quarenta e sete horas visitando a colônia, ouvindo palestras e encantamo-nos com tudo. Observamos desde o teto; as paredes, o piso, as flores, os quadros, tudo nos maravilhava.

Só podem visitar colônias assim os espíritos que estão em colônias de estudo. Indivíduos mais esclarecidos e totalmente edificados com o mundo dos espíritos. Fora do Lar do Repouso, ninguém se alimenta nem faz exercícios para se nutrir, pois isso ocorre automaticamente.

Não se necessita descansar. Aprendemos na colônia de estudo esses detalhes. Logo nos primeiros meses de estudo, após as excursões no umbral não necessitávamos de descanso ou de nutrição.

Chegou a hora de nos despedirmos. As saudações de paz foram mentais, olhamos sorrindo, fazendo reverência com a cabeça. Ao atravessarmos o portão, volitamos perto um do outro. Olhei para trás: a Triângulo realmente parece com um castelo de fadas. Foi maravilhosa a excursão. Quarenta e sete horas de sublime encantamento que ficarão guardadas para sempre na minha memória perispiritual. Alegria!

Capítulo 3

Recordando o passado

Frederico, meu amigo desde os primeiros tempos de desencarnada, vinha sempre me visitar. Conversávamos tranquilos pelos jardins da colônia de estudo. Sabia que éramos amigos de outras encarnações. Somos espíritos afins e é sempre agradável tê-lo por companhia. Meu passado, a vivência de outras encarnações, vinha-me à mente, primeiro em pequenos lances, depois em trechos maiores até formar um complicado jogo de quebra-cabeças. Numa dessas conversas com ele, pedi:

– Frederico, tenho recordado momentos de minha encarnação anterior da qual sei que você faz parte. Gostaria de recordá-la toda. Você me ajudaria?

– Quem já recorda sozinho está apto a fazê-lo. O passado a nós pertence. Cada encarnação é uma caixinha fechada em nosso cérebro espiritual. Basta abri-la para recordar. Muitos o fazem sozinhos, sejam encarnados ou desencarnados, outros necessitam de ajuda. De fato, Patrícia, faço parte do seu passado. Vou ajudá-la a completar seu quebra-cabeças.

Olhou-me tranquilo, mas profundamente. As recordações vieram em sequência como num filme que passava em minha própria mente.

Vivia feliz com minha família numa pequena e singela cidade. Tinha por mãe o mesmo espírito de Anézia, que é minha genitora nesta. Éramos pobres, mas trabalhadores. Romântica, sonhava com meu príncipe encantado. Um dia, ao visitar meu padrinho, um senhor rico da região, dono de propriedades, conheci Frederico, um jovem médico, muito bonito, louro com traços delicados, sorriso franco, que residia na cidade vizinha. Estava hospedado na casa do meu padrinho, pois eram conhecidos, e viera para visitá-los. Eu completara na época dezesseis anos e nunca havia namorado. Quando olhei para ele, ao sermos apresentados, meu coração disparou, e o amor antigo de outras existências ressurgiu forte. Frederico também me amou assim que nos vimos. Ficamos conversando, depois ele me acompanhou até em casa. Combinamos encontrar-nos no dia seguinte à tarde. Após uma semana de encontros escondidos, Frederico foi à minha casa e pediu permissão ao meu pai para me namorar.

– Você é linda, Roselea! – dizia ele, enamorado. Chamava-me Roselea na existência anterior. Curiosamente, tinha os mesmos traços que tive nesta última encarnação e que tenho agora. Era loura, alta, magra e com olhos azuis.

Dias depois, Frederico teve que voltar à sua cidade, mas vinha sempre me ver. Apaixonados, resolvemos nos casar. Mas problemas surgiram: eu era pobre, e ele, rico e filho único. Seu pai, abastado fazendeiro, não aceitou nosso namoro.

– Roselea – disse Frederico –, meus pais não querem que eu me case com você. Desejam para mim uma jovem do nosso nível social. Mas porque amo você, insisti. Concordaram, só que exigiram que você se afaste de sua família e, após nosso casamento, fiquemos morando com eles.

– Não posso, Frederico, afastar-me da minha família. Eu os amo.

– Se quisermos ser felizes, necessitaremos fazer algum sacrifício. Senão, nosso amor se torna impossível. Sou filho único, mas você tem muitos irmãos, seus pais não sentirão tanta falta de você. Diga a eles a proposta dos meus pais, sinto que entenderão. Neste mundo, sempre temos que renunciar a alguma coisa para sermos felizes.

– Mas esta "coisa" é minha família – falei indignada.

– Vocês poderão se corresponder, trarei você uma vez por ano para vê-los. Só que eles não poderão nos visitar.

O fato é que amava Frederico e não queria perdê--lo. Falei com meus pais e eles, embora tristes, concordaram. Fui conhecer os pais de Frederico. Eles não gostaram de mim, nem eu deles, mas tudo fiz para agradá-los. Eram instruídos, ricos, e moravam numa mansão enorme, que até me assustou. Amavam demasiadamente o filho e não sabiam negar nada a ele, por isso concordaram com nosso casamento. Casamo-nos na capela da casa deles, numa cerimônia simples que não foi assistida por nenhum dos meus familiares. Frederico e eu estávamos felizes, estávamos juntos, era tudo o que queríamos. Apresentei-me bonita, no dia de nosso casamento, vestindo uma roupa que minha sogra mandou fazer.

Tivemos por dormitório um belíssimo quarto, que era o lugar da casa onde me sentia à vontade. Sentia-me encabulada perto dos meus sogros, e até dos empregados, pois era para todos uma estranha, que ali estava para se educar. Tudo fiz para conquistá-los, e eles apenas me toleravam. Quando perto de Frederico, ainda se mostravam educados, mas longe dele eram irônicos e estavam sempre me criticando, lembrando da minha condição social inferior.

Isolava-me cada vez mais em nosso quarto. Para não ficar sozinha e sem fazer nada, passei a ajudar Frederico como enfermeira. Aprendi rápido e tornei-me uma boa ajudante. Animei-me mais, com o tempo preenchido.

Gostava de ajudá-lo. Frederico era bom médico, estudara Medicina na França, era atencioso e carinhoso com todos. Sempre me tratou com carinho. Às vezes chateava-se com a indiferença dos pais para comigo, mas acreditava que acabariam por me aceitar, tão logo tivéssemos filhos.

Durante o tempo em que estive casada, só vi meus familiares duas vezes em visitas rápidas, mas nos correspondíamos regularmente.

Dois anos depois do meu casamento, minha sogra desencarnou. Pensei que minha vida fosse melhorar, porque era ela quem mais me ofendia e tinha ciúmes de mim, mas não. Meu sogro, senhor Nicásio, queria netos. E começou a nos cobrar diariamente, pois desejava a continuação da família, queria herdeiros. Porque, se Frederico não tivesse filhos, a fortuna iria para parentes indesejáveis. Frederico e eu também queríamos filhos. A cobrança era tanta que estava desesperada e não conseguia engravidar.

Ajudando Frederico, vi o quanto ele era bom, caridoso; cuidava dos pobres e ex-escravos sem cobrar, e até lhes dava remédios e alimentos. Amava-o muito, mas não era feliz. Sofria a falta de minha família, de minha casa, e não me sentia bem naquela enorme mansão. Tinha um medo terrível de não engravidar e, também, porque Frederico era muito ciumento e não gostava que eu conversasse com ninguém.

Após quase quatro anos de casados, época em que ia completar vinte e dois anos, fatos novos aconteceram. Vieram nos visitar e conosco ficaram hospedados os padrinhos de Frederico, com um casal de filhos. A filha mais velha, Hortênsia, era uma moça muito educada, instruída e muito bonita. Logo que chegaram, o casal ficou doente. No começo parecia uma gripe forte. Porém, Frederico constatou apavorado que era crupe. A difteria não tinha cura naquela época e quase sempre levava à morte. Isolou-os numa parte da casa e exigiu que eu e sua ama, Maria, fôssemos cuidar deles. Maria era uma negra, ex-escrava, que sempre cuidou dele, os dois eram muito amigos. Eu não quis ir, mas Frederico insistiu, porque os doentes eram nossos hóspedes e seus padrinhos. Era a pessoa indicada, já que aprendera muito trabalhando com ele. Meu sogro intrometeu-se na conversa e disse com ironia:

– Você não serve nem para me dar netos, vê se faz algo útil.

Fui, contrariada. Maria e eu tomamos todas as precauções devidas para não contrair a doença. O filho, um menino de dezesseis anos, também ficou doente. Depois de alguns dias enfermo, o casal acabou morrendo. Hortênsia estava triste e Frederico dava muita atenção a ela, fiquei com ciúmes. Quando cuidava do mocinho, senti, apavorada, os sintomas da doença. Adoeci. Maria cuidava, com o carinho de sempre, de mim e do menino. Frederico vinha me ver várias vezes ao dia, sempre preocupado. Meu sogro não me visitou. Às vezes, Hortênsia vinha ver o irmão. Estava triste, chorosa, e Frederico a consolava. Odiei-a. Ela sim, pensava, era a nora desejada, a esposa que um médico merecia. Achei que Frederico se arrependera de ter casado comigo e me mandara cuidar dos doentes, para que adoecesse e ele ficasse livre. Estava magoada com meu esposo, e o culpava por ter adoecido. Eram muitas as dores físicas, mas a dor moral e a raiva eram maiores. Sentia-me desprezada e sozinha. Desencarnei com muita agonia, com ódio de Hortênsia e de Frederico.

Fui atraída para o umbral por vibrar igual àquele lugar. Estava revoltada por ter desencarnado jovem, não lembrando de Deus, nem de orar. Durante muitos anos, vaguei com rancor pelo umbral. Até que um dia um homem me falou:

– Você não é Roselea, a nora do Nicásio, aquele carrasco?

– Sou.

– Por que está aqui? Gostava do seu sogro?

– Não.

– Você não quer ir à sua casa terrestre? As coisas mudaram por lá.

– Posso ir para casa? Não sei como.

– Levo você, mas se prometer ajudar-me, e nos vingaremos de Nicásio.

– Prometo.

Assim, fui levada por ele a minha antiga casa. Quando vagava, perdi a noção do tempo; às vezes achava que fazia muito tempo, outras, meses somente. É horrível vagar pelo umbral. Tive uma grande surpresa ao ver minha ex-família. Frederico estava casado com Hortênsia e tinham três filhos; o mais velho, um menino de nove anos chamado Nicásio, igual ao avô, e duas meninas de sete e cinco anos. Pareciam todos muito felizes. Frederico e meu ex-sogro adoravam o pequeno Nicásio. Odiei a todos.

– Então foi mesmo para que eu morresse que me mandou cuidar dos doentes! – queixei-me rancorosa. – Queria casar com Hortênsia e ter filhos!

Os outros espíritos que ali estavam, oito, queriam vingar-se do meu ex-sogro, que não foi boa pessoa, fez muitas maldades que Frederico desconhecia. Incentivada por eles, resolvi vingar-me. Escolhi o filho de Frederico para obsediar; ele era sensível, um médium. Achei que, fazendo o menino sofrer, meu ex-sogro, Frederico e Hortênsia sofreriam juntos. Tinha razão.

Comecei logo a executar meu plano de vingança. Colei-me a ele. Logo o pequeno Nicásio foi se prostrando, adoentou. Frederico, preocupado, não achava a causa de sua fraqueza. O menino foi piorando. Levaram-no a outros médicos, a cidades maiores, tomou muitos remédios e piorava sempre. Por dois anos ali fiquei sem me afastar dele um segundo. Trocando energias com o garoto, sentia-me melhor e mais animada. Tinha o objetivo de me vingar e era incentivada e aplaudida pelos outros, que tanto como eu queriam a infelicidade dos moradores da casa, principalmente do senhor Nicásio. Para aumentar minha revolta, narraram com detalhes as infelicidades que padeceram por causa dele. Ali estavam somente alguns a quem ele havia feito terríveis maldades, muitos o perdoaram. Eram ex-escravos, colonos, pequenos proprietários de terra e até uma mulher que foi seduzida e abandonada por ele. Nossa permanência tornou-se fácil, porque naquele lar não havia religião, não se costumava orar e, se orações eram feitas, eram decoradas sem serem sentidas.

Ria, ríamos com a preocupação de Hortênsia, com a tristeza de Frederico e com o desespero do meu ex-sogro que tanto me havia desprezado. Tudo me parecia normal, quando o pequeno Nicásio contraiu crupe. Assustei-me. Tinha verdadeiro horror a essa doença. Vi desesperada Frederico angustiado examinar o filho e dizer:

– Não, de novo! Crupe, doença ingrata que leva meus afetos. Primeiro minha esposa adorada, agora meu filho!

Saí de perto do garoto, mas não da casa. Apavorei-me pela primeira vez, raciocinando sobre o mal que estava fazendo. Fiquei arrependida. Pedi auxílio aos espíritos que ali estavam. Queria curar o menino. Não queria sua morte e nem a de ninguém.

– Ajudem-me, por favor! Não podem deixar que ele morra! Piedade! – exclamei chorando.

– O que pensa você que somos? – disse-me um deles. – Só Deus pode fazer o que nos pede. Você pensa que o matou? Não é nada para isso. Todos morrem porque têm de morrer.

"Só Deus" – pensei. – "Só Deus para ajudar! Mas como achá-lo? Como pedir a Ele?"

O menino piorou e desencarnou tranquilo. Estranhei, porque ele não ficou ali. Vimos, os espíritos obsessores e eu, uma luz maravilhosa levá-lo. É que foi socorrido ao desencarnar.

Sofri muito. Saí daquela casa, retornei ao umbral. Gritava sem parar: "Sou assassina! Sou assassina!". Como me arrependi de ter retornado àquela casa. Fiz sofrer um inocente e ele desencarnou. Pensava nisso o tempo inteiro. Como sofri. O remorso é como um fogo que queima sem descanso. Andava de um lugar a outro, no umbral, sem descanso, chorando desesperada e repetindo: "Sou assassina!".

Como compreendo agora os que sofrem e vagam pelo umbral. Sofre-se tanto que não posso comparar com nenhum sofrimento que se tem, quando encarnado. Naquele tempo, quando vagava, não lembrava de Deus, não queria, e sentia imensa vergonha. Achava que era indigna até de pronunciar Seu nome. Encontramos quase sempre dois tipos de sofredores no umbral. Um deles, como fiquei: com remorso destrutivo, achando-me indigna, merecedora de castigo e envergonhada. Outros que se revoltam, acham que não merecem o castigo, blasfemam e odeiam. Todos são infelizes e carentes de auxílio. Os que sofrem, mas lembram de Deus, pedem perdão, e são mais fáceis de serem socorridos.

Um dia, quando andava desolada, escutei:

– Senhora, por favor!

Há muito não escutava alguém se referir a mim em termos tão suaves e educados. Virei e observei. Vi uma suave luz, prestei mais atenção, vi um vulto, sem distinguir quem era.

– Quero conversar com a senhora, venha aqui, por favor, perto de mim.

Fui, sentamos numa pedra. Parei de gritar, aquietei como por encanto. É que naquele momento sentia os fluidos de harmonia que me doava o visitante. Conversei em tom normal e indaguei:

– Conhece-me?

– A senhora não quer falar um pouco de si? Por que está tão triste?

– Não sei se devo... Não estou triste, estou desesperada. Sofro tanto!

Ele pegou a minha mão. Pela primeira vez desde que desencarnei senti um pouco de paz.

– Fale-me da senhora. O que a aflige?

Comecei a falar e, sentindo que o vulto parecia interessado, narrei toda minha vida. Chorava às vezes, mas meu choro desta vez era calmo e sofrido. Por momentos, o vulto passou a mão, com imenso carinho, em minha cabeça. Percebi que o vulto era de pequena estatura. Uma criança talvez. Não omiti nada, e falar tudo me deu um certo alívio. Quando acabei, ele me disse:

– Por que se atormenta assim? Sabe que não é possível um desencarnado matar um encarnado. Você o obsediou, mas foi porque ele aceitou. O pequeno Nicásio teria, como lição, de passar por tudo isso. Por que você não pede perdão a Deus e a ele? Tenho certeza de que, se for sincera, ambos a perdoarão.

– Tenho vergonha. Como posso pedir perdão a Deus tão bom e justo pelo meu crime tão feio? E Nicásio, como achá-lo? Não me perdoaria.

– Perdoaria sim.

– Como sabe?

– Porque eu sou o Nicásio.

Foi então que o vi. O pequeno Nicásio lindo, risonho e tranquilo. Olhava-me sereno. Quis fugir, mas ele segurou forte minha mão.

– Não fuja! Fique comigo. Quero tanto continuar conversando com a senhora.

– Tenho vergonha.

Fez-se um silêncio. Abaixei a cabeça, mas fui olhando devagar para ele. Continuava a me olhar sorrindo.

– Não está com ódio de mim? – atrevi-me a perguntar.

– Não. Não tenho ódio, prefiro cultivar o amor. É bem melhor.

– É, deve ser – eu disse com voz baixa. E pensei: "Enquanto eu odiava e sofria, ele amava e era feliz".

– Por que não perdoa a si mesma? Você não faria nada do que fez de novo, não é?

– Não! Não faria! – comecei a chorar.

Nicásio esperou que me acalmasse para depois dizer:

– Você foi imprudente, mas não foi má. Nada tenho contra você. Quero ajudá-la.

– Não mereço ajuda mas, sim, sofrer.

– Já sofreu e muito. Permite que eu a abrace?

Chorava de mansinho. Ele me abraçou com carinho. Senti seu fluido. Ajoelhei-me a seus pés.

– Nicásio, pelo amor de Deus, perdoe-me!

– Perdoo-a! Venha comigo.

Levantou-me com carinho. Segui-o de mãos dadas. Levou-me a um posto de socorro. Como me senti bem, nesse local de auxílio. Grata, era obediente, não gritei mais e só chorava de arrependimento. Nicásio vinha me ver sempre, seu afeto sincero e sua bondade me ajudaram muito. Logo melhorei. Quando tive alta do posto de socorro, fui para uma colônia aprender e trabalhar. Um dia, Nicásio me levou ao meu antigo lar.

Lá nos esperava Hortênsia, que também havia desencarnado dois anos após o filho. Ao vê-la, envergonhei-me. Como é triste ter de enfrentar os que prejudicamos. Mas ela me abraçou com tanto carinho que logo me senti à vontade. Sentamos na varanda para conversar.

– Roselea, seu ódio, seu rancor não teve razão de ser; e se tivesse procurado entender, compreender, tudo teria sido mais fácil para você. Frederico sempre a amou. O remorso muito o tem castigado. Não fez por mal ou com intenção de prejudicá-la. Pensava que você com os conhecimentos de enfermeira e sendo tão forte não adoeceria. Sofreu tanto com sua desencarnação! Tempos depois, casamo-nos por conveniência. Fomos, somos somente amigos. Sempre fui apaixonada por outro homem. Adolescente, apaixonei-me por um moço pobre, e nos encontrávamos escondidos. Meu pai, ao saber, mandou matá-lo. Sofri muito. Quando meus pais e meu irmão desencarnaram fiquei sozinha. Frederico e eu nos consolávamos mutuamente. Casamos para ter filhos. Tivemos uma vida tranquila e falávamos sempre dos nossos amores. Mas, Roselea, sofri muito com tudo e por todos.

Chorei baixinho. Agora não estava perturbada, mas o remorso não me abandonou. Vi o tanto que fui imprudente. Hortênsia sofreu tanto e eu agravei seu sofrimento obsediando o filho.

– Perdoe-me, Hortênsia.

Ela me abraçou carinhosamente.

Rever Frederico me emocionou muito. Entendi que ele sempre me amou. Estava viúvo por duas vezes e não pensava em casar novamente e, de fato, não o fez. Amava a Medicina e dedicava-se a ela cada vez mais. O porão da casa era um pequeno hospital, cheio de doentes pobres. O senhor Nicásio estava louco, com a morte do neto que adorava, e assim os obsessores puderam atormentá-lo. Quis ajudá-lo. Incentivada por Hortênsia e o menino Nicásio, me fiz visível a eles, aos obsessores, pedindo, implorando que o perdoassem e viessem conosco. Contei-lhes o que ocorrera comigo e o tanto que era bom estar em paz, e desfrutar das belezas dos postos de auxílio. Deram-me atenção, senti que se interessaram, alguns vieram, outros não. Muitas vezes fui até eles e tentei ajudá-los como também auxiliar o meu ex-sogro. O pouco que fiz, me deixou contente. Após muitas conversas, todos os obsessores vieram conosco. Mas o senhor Nicásio tinha uma dolorosa colheita, plantou muitos males. Quando desencarnou, o neto pôde socorrê-lo. Mas demorou para se recuperar.

– Sabe, Roselea – disse uma vez o pequeno Nicásio –, se você me obsediou foi porque eu aceitei. Por erro do passado, tinha como colheita uma lição dolorosa. Por escolha minha, iria adoecer e desencarnar jovem. Como obsediei quando era desencarnado, queria passar por uma obsessão para dar valor à tranquilidade alheia. Se não fosse você, um dos obsessores do meu avô me obsediaria. Aprendi muito nesta curta existência. Agora estou feliz. Como é bom estarmos quites conosco mesmo, com nossa consciência.

Frederico dedicou toda sua vida à Medicina e às duas filhas. Desencarnou velho.

O tempo passou. Sentia vontade de reencarnar e, estando apta, pedi a nova oportunidade como bênção para esquecer e para ter um recomeço. Minha mãe, reencarnada, ia engravidar. O plano espiritual provocou um encontro entre nós duas. Pedi a ela que me aceitasse por filha, falei que por aprendizagem ia desencarnar jovem. Minha mãe aceitou, amava-me, ama-me.

Pela programação que escolhi, ia passar o que o pequeno Nicásio passou. Reencarnaria num lar feliz e, ainda adolescente, ficaria doente, ia passar de médico em médico, sofreria uma doença incurável e desencarnaria. Antes mesmo de Frederico desencarnar, reencarnei. Hortênsia e o pequeno Nicásio haviam reencarnado. Mas não ia encontrá-los, pois íamos reencarnar em locais diferentes.

As lembranças findaram. Sequei as lágrimas do rosto, recordações sempre nos são penosas. Porém elas me deram um alívio. Agora sabia de tudo. Olhei para Frederico que estava quieto, acompanhando minhas lembranças. Olhou-me sorrindo e concluiu:

– Patrícia, depois que você desencarnou, vivi de lembranças. Casei-me com Hortênsia porque queria dar continuação à família, sempre fomos amigos. Minha encarnação também não foi fácil. Cuidei de minhas filhas, elas foram felizes, casaram-se e sempre estiveram comigo. Trabalhei muito e fui bom médico. Quando desencarnei, fui socorrido e logo estava bem. Nunca deixei de estar com você.

– Frederico, não ia ficar doente? Desencarnei com saúde.

– Patrícia, doenças são miasmas negativos que são queimados pela dor ou pela bondade, pela sinceridade, pela transformação interior para melhor. Você queimou esses miasmas pela segunda opção. Você se transformou interiormente para melhor. E seu corpo não adoeceu.

– Frederico, quando pequena tive difteria. Sarei, a doença não teve consequências.

– Você trouxe, pelo remorso, os miasmas da doença no perispírito, que transmitiu ao corpo.

– Remorso por ter o pequeno Nicásio desencarnado com essa doença. Também porque, quando a tive, não aceitei, sinto que necessitava desencarnar daquela forma. Sofri com a doença, mas a não aceitação não deixou que eliminasse todos os miasmas que trazia comigo.

– Você, na existência anterior, como Roselea, desencarnaria jovem, íamos nos separar para um aprendizado necessário pelos erros cometidos anteriormente.

– Já estivemos juntos mais vezes?

– Sim.

Naquele momento, saber dessa informação me bastava. Meditei sobre tudo e indaguei Frederico, tirando minha última dúvida.

– Não fiquei doente? Não poderia também ter ficado encarnada por mais tempo?

– Você não quis. Quem vai à Terra pela encarnação e volta no tempo certo, pode se dar por feliz. O corpo lhe era uma prisão que você abençoou e deu o devido valor. Com o tempo vencido era justa sua absolvição.

Frederico deixou-me no gabinete. Pensei muito em tudo o que recordei, e desejei ver o pequeno Nicásio. Na primeira oportunidade pedi a Frederico, que me atendeu. Marcamos dia e hora para que pudesse revê-lo.

No dia marcado, voltamos à Terra. Descemos numa cidade do interior muito singela e agradável. Entramos numa bonita e confortável casa.

– Aqui está Hortênsia – disse Frederico. – Está casada com seu eterno apaixonado, o rapaz que o pai mandou matar no passado. Nossa Hortênsia, que atualmente tem outro nome, está feliz e tem por irmão o pequeno Nicásio, que agora se chama Nelson. Venha, vamos vê-lo.

Para minha surpresa, entramos num simples mas agradável centro espírita. Reconheci-o, logo que o vi. É um homem, jovem ainda, muito bonito, fisionomia tranquila. Estava orando concentrado. Aproximei-me dele, ajoelhei-me ao seu lado e beijei-lhe as mãos. Frederico segurou minha mão e levantou-me.

– Vamos assistir à sessão. Fiquemos aqui. Nelson agora irá trabalhar. É um médico de profissão e dentro do Espiritismo um médium ativo.

Envergonhei-me do meu rompante. Fiquei quieta no lugar indicado. A reunião da noite foi muito bonita e proveitosa. No final, Frederico se incorporou, ajudando e aconselhando os encarnados presentes. Nelson se emocionou. Amava aquele espírito, um médico chamado Frederico, que ia regularmente ao centro espírita ajudar a todos. Não me atrevi mais a me aproximar de Nelson. Quando terminou, Frederico foi abraçado e cumprimentado pelos trabalhadores desencarnados da casa. Logo em seguida, convidou-me a partir.

– Frederico – disse –, como gostaria de ajudar o Nelson. Como queria retribuir o que ele fez por mim.

– Patrícia, Nelson não necessita dessa ajuda paternalista que você almeja lhe dar. Ele é espírito que cresce e progride. Depois, Patrícia, quem perdoou não é carente de ajuda. Você poderia, por sentir-se devedora, o que não tem razão de ser, querer fazer o que compete a ele fazer. Nelson é bom, correto, luta e cresce, talvez porque os problemas que aparecem sejam por ele mesmo solucionados. Poderá, sim, seguir o exemplo que ele lhe deu e fazer o bem aos que carecem de ajuda. Nem sempre é possível retribuirmos ao nosso benfeitor o bem recebido. Mas, como a nós foi feito, devemos fazer aos outros.

Compreendi.

Minha gratidão pelo pequeno Nicásio, por Nelson, é grande. Aprendi a reverter minha gratidão em vibrações carinhosas que remeto a eles todos os dias. Com Nelson aprendi que sempre devemos fazer o bem, mesmo para aqueles que nos fizeram mal. Porque o bem realizado a nós mesmos retorna, tornando-nos autossuficientes e fazendo-nos cada vez mais úteis.

O passado está em nós e não podemos mudá-lo um pingo que seja. Mas podemos, sim, tirar lições para o futuro e entender o presente. As recordações fizeram com que eu ficasse mais grata e entendesse os que sofrem, principalmente os que vagam pelo umbral, os que se consomem pelo remorso. Motivaram-me a ser melhor no futuro. Do passado, devemos tirar só lições que nos ajudarão a progredir sempre.

Capítulo 4

A Casa do Escritor

Que prazer nos proporciona fazer algum trabalho sem estarmos esperando ou condicionados a um pagamento, ou agradecimento de outras pessoas.

Até então, desde a minha desencarnação, recebera incessantemente amor, carinho, conhecimentos e uma oportunidade atrás da outra. Sempre que terminava um curso, meus fraternos amigos já providenciavam outro. Sentia-me feliz e desejosa de transmitir essa felicidade a outras pessoas, de gritar ao mundo tudo o que eu sabia e vivia, sonhando com a hipótese de que todos iriam aceitar o que dizia, comungando comigo toda a alegria e felicidade de que era portadora.

O curso na Colônia Casa do Saber terminou com o mesmo clima de alegria e harmonia que houve em seu decorrer. Cada um de nós, agora, deveria dedicar-se a uma atividade diferente, muitos iriam ser instrutores nas colônias de socorro.[2] Congratulamo-nos uns com os outros, felizes por termos realizado mais uma etapa da nossa vivência espiritual.

Particularmente, estava radiante. A Casa do Saber estaria sempre em minhas recordações, e voltaria sempre lá para rever os professores e a colônia. Estávamos sempre reencontrando os amigos. Os mais chegados trocavam informações de onde estariam para se rever.

Numa cerimônia simples, mas agradável, nós nos despedimos.

Fui visitar a Colônia São Sebastião e fiquei na casa de minha avó. Revi meus amigos. Como é gostoso estar com os que amamos, trocar ideias e informações. Pude estar perto das minhas violetas, que continuavam lindas e floridas. Sempre sinto muita paz ao estar com elas. São um pedacinho de minha mãe perto de mim. Aproveitei os dias livres que tive para também rever amigos e familiares encarnados.

Logo eu ia começar uma nova atividade, e recordei uma conversa agradável que tive anteriormente com meu amigo Antônio Carlos. Ele estava sempre incentivando a me dedicar à literatura.

---

2. Denominamos colônias de estudo aquelas em que há somente escolas. Colônias de socorro são aquelas em que há também os hospitais e onde ficam internos os recém-socorridos, como a Colônia São Sebastião que já descrevi em livros anteriores e a tão conhecida Colônia Nosso Lar. (N.A.E.)

– Patrícia, escreva aos encarnados suas experiências – dizia entusiasmado. – Aprenderá muito com esse trabalho. Com sua narração, brindará os que gostam da leitura edificante, contando o que é a vivência no mundo dos espíritos para uma pessoa que, encarnada, foi Espírita fervorosa e praticante. Dará, com seu exemplo, incentivo aos bons espíritos. Os encarregados na Espiritualidade, da divulgação da Doutrina Espírita almejam mandar para eles relatos de um desencarnado que teve conhecimentos do Espiritismo, quando no corpo físico. Mostrará nesses escritos como é fácil a desencarnação e a adaptação dos que retornam à pátria espiritual com conhecimentos verdadeiros e isentos de erros. Os bons espíritas estão necessitados de motivação e da confirmação do ensinamento que está em *O Evangelho segundo o Espiritismo*, no capítulo 18 – Aos espíritas, portanto, muito será pedido, porque muito recebem, mas também aos que souberam aproveitar os ensinamentos, muito lhes será dado.

– Bem, se você acha realmente que devo tentar, necessito aprender, porque sei que não basta boa vontade para fazer algo bem feito.

– Tem razão. Necessita estudar e aprender para realizar esse trabalho. Não se deve fazer sem preparo, nem sem autorização dos espíritos encarregados deste setor. Treino já tem. Ao ditar mensagens aos seus pais, nesse tempo, treinou. Este treino é para o melhor entrosamento entre o médium e o desencarnado que irá escrever ou ditar.

– Todos que ditam livros pela psicografia fazem esse estudo?

– Deveria ser assim. Quando o desencarnado quer, realmente ele faz sem o visto do pessoal encarregado do bom desenvolvimento literário.

– Os que querem se exercitar com a psicografia, têm muito trabalho?

– Patrícia, não se faz nada bem feito sem esforço, trabalho e perseverança de ambas as partes, a do encarnado e a do desencarnado. Veja o exemplo de sua tia Vera; estudou muito a Doutrina, treinou nove anos para escrever o primeiro livro. Enquanto ela se preparava, eu também me preparei, estudei, fiz e faço parte desta equipe literária. Tudo o que escrevo é passado pela censura desta casa, para depois ditar à médium. Esse ditado é feito no mínimo três vezes, para que depois seja editado para os encarnados. Todos os que querem fazer um trabalho edificante, de boa vontade, espontaneamente, se submetem à apreciação desta equipe.

– São muitas as casas, colônias, que se dedicam a esse trabalho?

– Muito se trabalha para ter uma colônia deste tipo, no espaço espiritual de cada país. Temos uma que coordena o trabalho de todas que se chama "Mansão dos Intelectuais", da qual faz parte Allan Kardec. Essa mansão lindíssima é móvel como todas as outras que seguem sua orientação. Já tivemos oportunidade de tê-la muitas vezes no espaço brasileiro. Muitos bons escritores brasileiros trabalham nela. O objetivo principal é incentivar os que queiram fazer a literatura que educa na boa moral e motivar todos a apreciá-la. Todos nós vibramos com as boas obras editadas. Aqui no Brasil temos A Casa do Escritor.

– A Casa do Escritor?! Que bonito nome!

– Você irá gostar dela. Lá estudará por dois anos. Dedicar-se-á ao estudo de como escrever, o que escrever e para quem escrever.

– Essa casa é dedicada só aos escritores?

– Apesar de se chamar assim, dedica-se a toda boa literatura. Quando foi criada, seu objetivo maior era formar bons escritores em cursos que existem até hoje. Seus trabalhos foram aumentando. Atualmente dá assistência aos seus pupilos, quando encarnados. Orienta todos os que querem se educar, se instruir e se informar sobre o Cristianismo e sobre a boa moral. Dá assistência às editoras que trabalham com bons livros e estende essa ajuda a todos os que se dedicam a divulgar e vender esses livros.

– Certamente os livros espíritas fazem parte da assistência dessa casa.

– Com carinho primordial. Desde que o Espiritismo surgiu, seus livros têm educado, fazendo progredir inúmeras pessoas. Tratamos, na A Casa do Escritor, com toda atenção que merece a literatura espírita e todos os que trabalham com ela.

Desde que tivemos essa conversa, ansiava por conhecer essa colônia, que cuida com tanto amor da literatura espírita que sempre amei. Não tomei a decisão de ditar aos encarnados sem antes pensar e ouvir amigos. Fui incentivada por todos eles. Matriculei-me no curso. Não foi preciso ir à colônia para isso. Da Casa do Saber mandei, por um aparelho, parecido com um fax, meu histórico e pedido de matrícula. A resposta me aceitando veio de imediato. Era só aguardar o início. Tudo o que se marca data, chega. Antônio Carlos fez questão de me acompanhar. Convite que aceitei prazerosa e, contente, fui conhecer a tão falada colônia.

A Casa do Escritor não tem sistema de defesa. Parece estar flutuando no espaço. Que visão maravilhosa é vê-la, cercada de árvores e flores.

– A casa não é atacada? – indaguei curiosa.

– Muito raramente. Quando é sentida a aproximação de irmãos ignorantes que vêm com intenção de atacar e perturbar, alguns moradores saem para o pátio e enviam ondas mentais que neutralizam tanto os atacantes como suas armas. Isto é possível porque na casa estão somente espíritos equilibrados e harmoniosos no bem.

– Que linda! – exclamei, ao descermos no seu pátio da frente. Olhando-a, pareceu-me uma imensa mansão, onde a tranquilidade se faz presente. Observei-a por um tempo, extasiando-me com tanta paz. Suspirei feliz.

Toda a casa está rodeada de pátios com muitos canteiros floridos e pequenas árvores, iguais às que vemos na Terra. Tudo me encanta de um modo particular. Árvores e flores são sadias, bem cuidadas, respeitadas. Em A Casa do Escritor predominam as flores brancas. Como é gostoso olhar um canteiro florido, sentir a energia das flores. Observava suas formas, sentia o seu perfume. Quem gosta da natureza fica deslumbrado com os jardins do mundo espiritual. Quem ama o local sente o quanto ele é belo. É só observar e achar as belezas, o encanto das coisas simples.

A mansão é de uma beleza única, apesar da sua simplicidade. A sua visão nos induz à comunhão de conhecimentos, trazendo-nos lembranças das edificações da Grécia antiga. A construção é beginho-claro, com inúmeras colunas brancas de uns vinte centímetros de diâmetro. As colunas estão ao redor da construção toda, dando um encanto especial à colônia. O telhado é um triângulo vermelho, lembrando realmente as casas bem cuidadas e bonitas na Terra. Do pátio, sobem-se três degraus até a área com as colunas. Essa área tem dois metros e meio de largura e, em seguida, vêm as paredes. Subi os degraus e não resisti: abracei uma coluna.

– Que lugar de encantos mil! – exclamei.

– De fato é cativante – disse meu acompanhante. – Identifico-me plenamente com esta casa.

– Que desenhos magníficos!

Corri até as paredes para observar melhor. Nelas, desenhadas em relevo, mas da mesma cor, gravuras que mostram trechos da literatura antiga. São quadros fascinantes, e podemos passar horas contemplando-os. Os mais interessantes para mim são os desenhos sobre a Bíblia, em especial os de Moisés escrevendo parte do *Antigo Testamento*. O piso nessa área entre as colunas e as paredes é de um vermelho clarinho, brilhante e também contém gravuras maravilhosas da História antiga. Como é agradável observar quadro por quadro, analisando seus detalhes perfeitos.

– Aqui estamos – disse Antônio Carlos, sorridente. – No seu novo lar.

– Mora aqui também?

– Sim, tenho minha sala onde escrevo. Amo a literatura espírita e esforço-me para participar de sua divulgação. Gosto de modo especial das reuniões que a casa promove.

Olhando de frente, vemos várias portas. Algumas estavam abertas.

– Estamos sendo aguardados nesta sala – disse meu amigo, despertando-me do êxtase da contemplação da casa.

Caminhamos para uma das portas abertas. Entramos. Defrontei-me com uma sala agradável, não muito grande, enfeitada com quadros e vasos de flores. Os quadros no mundo espiritual são realmente lindos, representam pinturas de artistas e podemos ficar horas contemplando-os. Na A Casa do Escritor há quadros exaltando a leitura e a escrita. Obras de arte encantadoras. As janelas são delicadas e redondas, e algumas, com vidros coloridos e claros, estão do lado contrário ao da porta. Na sala havia algumas poltronas confortáveis. Um grupo animado conversava em pé. Antônio Carlos conhecia algumas pessoas presentes, porque assim que entramos foram cumprimentá-lo e também a mim. Sentia-me à vontade e logo estava conversando também.

Com a chegada de todos, começou a palestra. Havia na sala trinta pessoas. Fomos convidados a sentar.

– Atualmente, sou diretor desta casa. Digo atualmente porque, após um acordo entre todos os moradores, fazemos rodízio no cargo de orientação. Sejam bem-vindos! Aqui estamos reunidos, professores, alguns convidados e os candidatos aos dois cursos que logo se iniciarão. O primeiro é para os que desejam ditar aos encarnados por meio da psicografia. Como também há os que desejam inspirar, sem serem notados, os encarnados nos seus trabalhos escritos. O segundo curso é para os que querem preparar-se e estudar para reencarnar e, quando encarnados, dedicarem-se à literatura edificante.

Espero que gostem tanto da nossa casa como dos cursos escolhidos. E sintam aqui como se fosse o próprio lar. Aqui estão os que vão ministrar as aulas do primeiro curso, professor Aureliano e professora Maria Adélia.

Que simpáticos eram meus professores, gostei muito deles. Depois, apresentou os que dariam as aulas do segundo curso. Pediu que cada um de nós se apresentasse. Fiz com alegria. Éramos oito a fazer o primeiro curso. Este só se inicia quando termina o outro. Assim, só de dois em dois anos eles tem início. Sabemos também que nem todos os que concluem o curso têm oportunidade de ditar a um médium. Alguns o fazem mais para ter experiência, por gostar, ou até mesmo para se preparar para serem médiuns psicógrafos ao reencarnarem.

Depois de o diretor ter falado sobre algumas normas da casa, pediu a um dos professores que fizesse uma oração. As orações espontâneas feitas por aqui são simples, normalmente curtas, mas sinceras e comoventes.

Numa atitude de espontânea fraternidade, fomos convidados a conhecer a colônia. A Casa do Escritor é considerada uma colônia pequena. As portas que dão acesso à mansão nos levam aos salões, menos a do meio, que leva ao interior da casa. As salas são todas parecidas, muito agradáveis, enfeitadas com lindos quadros e flores brancas. Duas dessas salas se destacam pelo seu tamanho.

– Estas salas são para palestras, encontros que a casa promove com todos os seus filiados encarnados e desencarnados – disse o diretor.

– Pelo número de salas deve haver muitas reuniões – comentou um dos alunos.

– Tem razão. Estamos sempre trocando ideias, promovendo eventos, organizando tarefas. Reunimo-nos com grande fraternidade em conversas edificantes.

Adentramos um amplo corredor que nos levaria ao interior da colônia, ultrapassando as salas, e defrontamos com um agradável e delicado pátio para onde as janelas dos salões dão acesso. Os pátios se assemelham entre si, todos têm muitos encantos. Seguimos pela galeria.

Para melhor memorização do leitor, diríamos que as salas de aula, a biblioteca e a sala de vídeo estão localizadas na segunda ala.

Após as salas, deparamos com um novo pátio, semelhante ao segundo que vimos.

– Nesta parte, estão as salas particulares. Todos nós, moradores da casa, professores, alunos e filiados desencarnados, temos um lugar particular, um cantinho só nosso – explicou bem-humorado o diretor.

Tanto a ala direita como a esquerda são providas de corredores, os quais dão acesso às portas numeradas de ambos os lados. Após estas salinhas, há outro pátio e o término da colônia. Ela é toda cercada com colunas brancas e suas paredes são desenhadas. De qualquer ângulo que a observamos, vemos o telhado em triângulo.

– Agora, os alunos irão receber um caderno de orientação, no qual está anotado o número da sala de aula e também o da sua sala particular. Estejam à vontade para conhecer o que quiserem. As aulas só terão início dentro de cinco horas – falou, sorrindo, o diretor, que entregou a cada um dos alunos uma caderneta com o nome gravado na capa.

O diretor despediu-se de todos com um sorriso cativante. Antônio Carlos aproximou-se de mim.

– Patrícia, quero lhe mostrar minha sala.

Enquanto caminhávamos pelo corredor, perguntei ao meu amigo:

– Antônio Carlos, aqui terei muitas horas livres. O que poderei fazer para preenchê-las?

– Esta casa segue o horário da Terra. Aqui os moradores não dormem, nem se alimentam. Ninguém fica sem fazer nada. É muito movimentado. A casa recebe muitas visitas, há várias palestras das quais poderá participar, e com isto aprenderá muito. Estão sempre organizando grupos de auxílio a encarnados filiados. Também poderá frequentar a biblioteca, ir mais vezes à Terra e a outras colônias, além da Colônia São Sebastião. Terá muito o que fazer. Entre, por favor, aqui é minha sala.

Para este espaço particular no plano espiritual damos muitos nomes. Quartos, nas colônias de socorro, porque lá muitos ainda dormem, mas chamamos também de gabinetes, salas etc. O cantinho de Antônio Carlos é bem agradável. Umas cadeiras, a escrivaninha e uma estante repleta de livros.

– Aqui guardo exemplares que ganho!

– Mas há livros de escritores encarnados!

– Certamente. Livros bons de encarnados são plasmados aqui. Escritores bons têm acesso à casa. Conversamos muito, nós e eles. Fazemos até noite de autógrafos. Muitos destes livros estão com dedicatória. Orgulho-me em tê-los. Aqui tenho tudo o que preciso. Amo meu cantinho. Agora, vamos conhecer sua sala.

Passamos para outra ala, à direita e, no número indicado, paramos e entramos. A minha sala era como a de Antônio Carlos, algumas cadeiras, uma escrivaninha e a estante.

– Você pode decorá-la como quiser.

Dias depois decorei-a com quadros e vasos de flores; coloquei os livros, os cadernos de anotação e as fotos de meus familiares na pequena estante. Em destaque, as fotos dos meus sobrinhos Rafael e da pequena Patrícia.

– Que bonitos lustres! – exclamei.

Os lustres têm formatos delicados. A colônia tem iluminação artificial como nas demais colônias que seguem o fuso horário da Terra. À noite a colônia é linda, de longe parece uma estrela, de perto é muito luminosa. Dentro da casa é claro como o dia.

Depois de ter visto minha sala, Antônio Carlos convidou-me para conhecer a biblioteca. É muito bonita e grande. Diferente das outras que conhecia. Exerce um fascínio todo especial nos seus visitantes e frequentadores. Nela encontramos livros de literatura, livros históricos e sobre variedades, livros espiritualistas e espíritas. Nas salas de vídeo, o assunto se assemelha. Antônio

Carlos mostrava tudo com entusiasmo. Ama de modo particular esta casa. As horas passaram.

– Patrícia, logo mais começa sua aula. Não vamos nos despedir, pois estou sempre por aqui e estaremos sempre nos encontrando. Quero dizer-lhe que é bem-vinda a este lar.

Sorri, agradecendo. Sentia-me bem ali e já amava aquela casa. Preparei-me para a primeira aula.

Capítulo 5

O jornalista

Que interessante quando as emoções nobres se repetem. Sempre que isso acontece, temos a impressão de que não é a primeira vez que vivemos esses fatos. Foi o que aconteceu, quando entrei na sala de aula para ter meu primeiro contato com o novo curso que, pela bondade de Deus e pelos amigos, me foi proporcionado. E não foi sem razão, pois a alegria que senti naquele momento permanece em meu peito até hoje. Tenho a certeza de que o contentamento achou por bem fazer morada em meu coração.

A perspectiva de poder anunciar aos encarnados, pela via mediúnica, a bem-aventurança que eu vivia e de que era portadora, enchia-me de entusiasmo e ânimo para este novo estado e treino telepático. Queria aprender para fazer bem. E, como acontece quando estou muito feliz, sorria sem parar; foi nesse estado de satisfação que cumprimentei o professor e alguns alunos que estavam na sala.

Nossa classe era pequena e as escrivaninhas estavam em círculo.

– A paz seja convosco! – respondeu o professor Aureliano ao meu cumprimento. – Sente-se, Patrícia, escolha um lugar e fique à vontade. Logo iniciaremos a aula.

Sentei-me e observei tudo. Na parede, só havia uma lousa. O que dava um toque especial eram as bonitas janelas redondas. Na sala, viam-se as escrivaninhas e uma enorme estante. Logo chegaram todos os alunos. Conversamos animados e, após alguns minutos, já nos conhecíamos como se fôssemos amigos de longa data. Todos agradáveis, instruídos e com vontade de aprender. Seus nomes já estavam gravados na minha mente e em meu coração. A doce Ruth, o Carlos Alberto, o mais velho em aspecto, a ruiva Adelaide, o intelectual Henrique, o mais extrovertido José Luiz, Maria da Penha, a que se tornou como mãe de todos, e Osvaldo, o contador de histórias.

O professor Aureliano iniciou a aula.

– Como sabem, Maria Adélia e eu iremos dar este curso tão útil à nossa literatura espírita. Não é tão simples assim intuir ou ditar, pela psicografia, aos encarnados. Aqueles que fazem sem preparo, quase sempre não fazem o melhor que poderiam. O que é mais importante, quando se intui na literatura ou se dita pela psicografia? A matéria, o assunto, sem dúvida. É esta matéria, esse assunto, que iremos aprender a organizar. Certamente aqui estou como coordenador, e espero que todos aprendamos juntos. Tanto que quero ser tratado como amigo, sem títulos, só pelo meu nome. Ficarei com as aulas de redação. Maria Adélia dará as de literatura. No seu histórico, vamos conhecer como surgiu a ideia de grafar os acontecimentos. Os primeiros escritos, as primeiras histórias imaginárias, a literatura contemporânea, a atual e a espírita, com todo o seu encanto e ensinamento. Muito temos para aprender neste curso. Nas minhas aulas, aprenderemos a fazer uma redação, um artigo ou um livro. Também aprenderão a transmitir estes escritos, porque não se pode ditar uma coisa qualquer, por isso tem de se ter alguns critérios. Estes escritos têm que estar dentro da Doutrina e da codificação de Allan Kardec e trazer ensinamentos bons e cristãos, além de se ter o cuidado de não fazer revelações que ainda não são permitidas, ou anunciar desgraças com datas marcadas etc. As revelações têm de ser feitas com conhecimento e devem ser reais e otimistas. Há tantas coisas lindas para serem ditas. Todos os que são filiados a esta casa têm de passar seus escritos pela censura. E aqui aprendemos também a censurar. Daremos especial atenção à parte do intercâmbio ao encarnado. Não é fácil a um cérebro que desconhece captar certos fatos. Assim, teremos que escrever primeiro, para depois ditar ou inspirar o que o encarnado pode receber. Este curso é longo porque teremos muitas excursões, nas quais faremos uma coleta de histórias, com muita ajuda. E também porque é grande a responsabilidade de todos aqueles que deixam grafados seus pensamentos, principalmente os que querem fazer o bem com este evento. Particularmente nós, que iremos pela psicografia, em nome de uma doutrina, tentar instruir, motivar, alertar, recordar os ensinos de Jesus a tantos irmãos. Nos últimos seis meses do curso, vocês estarão aptos a realizar este trabalho sozinhos, mas ainda contarão com nossa orientação.

Para começar nossa aula de redação, quem de vocês quer contar uma história ou, se for interessante, a da própria existência, para que possamos começar o nosso trabalho?

José Luiz levantou a mão.

– Posso falar de mim.

– Sim – disse Aureliano. – Vamos ouvi-lo.

José Luiz sorriu. É magro, alto, cabelos crespos curtinhos, muito simpático. Sua voz é agradável e forte. Começou a falar:

– Nasci e cresci na grande cidade de São Paulo. Sempre gostei de jornalismo. Quis ser jornalista. Não foi fácil, pois meus pais eram separados, e minha mãe dava um duro danado para sustentar os quatro filhos. Eu era o terceiro. No colegial, fiz um curso técnico de contabilidade à noite e passei a trabalhar durante o dia. Trabalhava numa indústria. Meu sonho era conseguir emprego num jornal. Uma colega tinha amigos em um grande e influente jornal, e tanto pedi a ela que acabou me atendendo. Levou-me lá e me apresentou aos seus amigos, que prometeram me ajudar. Cumpriram o prometido e acabei empregado. Fiquei felicíssimo, embora o jornal ficasse mais longe e eu ganhasse menos. Mas queria estar ali para aprender. Sempre fui ótimo em redação, na escola. Comecei a escrever artigos e, embora fosse muito difícil conseguir que publicassem, fazia sempre na esperança de ser um bom jornalista um dia. Quando terminei o curso, passei a me dedicar mais ao trabalho e a ter mais tempo para fazer as matérias. Um dia, um dos diretores leu o que escrevi, gostou, e acabou publicando o artigo. Aconselhou-me a ter aulas de redação. Eram pagas e caras. Esse diretor, porém conseguiu que o jornal pagasse a metade. Fiz o curso com entusiasmo e, com perseverança, tornei-me um jornalista. Comecei, porém, a fazer críticas ao governo de maneira fútil. Estávamos nos anos sessenta, com a ditadura militar. Passei a usar um pseudônimo para fazer esses artigos. Um grupo de idealistas que queriam um Brasil melhor me procurou para que fosse assistir às suas reuniões. Fui e gostei. Eram pessoas honestas e idealistas. Esses companheiros não achavam certo os meios que outros grupos empregavam, porém entendiam que eram necessários, tanto para chamar a atenção como para conseguir dinheiro. Eram ações como sequestros e roubos. Nosso grupo se ocupava mais em divulgar nossas ideias. Nessas reuniões, conheci uma moça, Márita, que tinha uma filhinha. Seu companheiro fora morto num cerco com os militares. Nessa época, já ganhando mais, fui morar sozinho num pequeno apartamento perto do jornal. Tanto escrevia, com meu nome verdadeiro, artigos não comprometedores, como com pseudônimo, artigos contra a ditadura. Apaixonei-me por Márita, tornamo-nos amantes sem, porém, morar juntos. Passei a participar mais das reuniões, fazer palestras e panfletos. Meus artigos tornaram-se mais violentos. Seis anos se passaram. Deram uma batida no jornal e prenderam muitas pessoas. Algumas, torturadas, deram o meu nome verdadeiro. Fui preso. Confessei no interrogatório tudo o que fiz e escrevi. Mas eles queriam mais, os nomes dos companheiros. Como eu negasse, começou a tortura. Um horror! Na História da Humanidade, sempre o ser humano torturou outro ser humano. No início, as lutas foram por alimentos e territórios. Depois, vieram as lutas por simples conquistas, nas quais os vencedores tornavam os vencidos escravos e os torturavam. Após, houve as cruzadas, as lutas das religiões, a Inquisição, os escravos na América, as guerras modernas e os campos de concentração. Depois, pela política, por ideal, foram tratadas com muita desumanidade pessoas que, certas ou erradas, queriam o que achavam o melhor para sua Pátria.

Fui torturado com outros companheiros de forma brutal e cruel. Nada falei. Pensava em Márita e em sua filhinha, que eu amava como se fosse minha. Num sofrimento maior, desencarnei. Saí do corpo de forma violenta, tonto e vendo tudo confuso. Levantei-me para cair no canto da sala. Vi meus carrascos e meu corpo sentado, amarrado e sangrando. Escutei os comentários:

"Morreu a peste? Sujeito duro e idiota!"

"Morreu!" – disse um outro, escutando meu coração.

"Coloque com os outros, iremos enterrá-los nas valas."

Vi desamarrarem meu corpo e levá-lo para outro local. Confuso e com muitas dores, adormeci. Acordei mais confuso ainda.

"Ei, companheiro, você morreu, acorde!"

Tentei tanto entender o que ele me dizia, como reconhecer o sujeito que me dirigiu a palavra.

"Será nova forma de tortura?" – pensei.

Mas não estava amarrado e não conhecia aquele homem. Ele, tentando ser simpático, disse:

"Venha, dê-me sua mão, ajudo você. Morreu! Você simplesmente morreu, como eu."

"Estranho!"

"Que nada! Logo você se acostuma."

Levantei-me com a ajuda dele. Levou-me para uma das celas. Lá vi com tristeza companheiros mutilados e gemendo.

"Vamos ficar aqui."

Ele me ajudou. Deu-me para beber um líquido que me tirou as dores, e me fez curativos.

"Engraçado" – disse – "você fala que morri, mas continuo machucado."

"É assim mesmo, você é igual a seu corpo."

Só quando fui estudar é que compreendi que me desligara do corpo, e pela falta de conhecimento continuei com todas as impressões da matéria, como dores, fome, frio etc.

Passei alguns dias deitado no chão da cela, vendo meus companheiros encarnados sofrendo. O sujeito, Emílio, cuidou de mim como lhe foi possível. Melhorei.

"Você já está bem, já é hora de passar a nos ajudar. Levante-se e venha conhecer os outros."

Pegou em minha mão, ajudou-me a levantar. Fomos andando, e me espantei ao atravessar com ele as grades e sair para o pátio.

"Como fez isto?!" – indaguei curioso.

"Somos agora almas do outro mundo, ou melhor, desencarnados. Temos lá algumas vantagens como atravessar, pela vontade, paredes e portas. Vou ensinar você a fazer isso. É fácil, aprende-se e pronto."[3]

No pátio havia um grupo de desencarnados. Alguns homens e mulheres em número menor.

"Clóvis, você aqui!" – exclamei.

Abracei comovido um deles. Era meu amigo, companheiro das nossas reuniões. Ele havia desaparecido e não conseguimos saber o que ocorrera com ele.

"Morri também!" – disse ele.

"Torturado?"

"Não, com um tiro."

Fez-se um silêncio de minutos, que foi quebrado por um deles.

"José Luiz, é o seguinte: estamos todos desencarnados e unidos. Aqui estamos tanto para ajudar os

---

3. Volitar e atravessar paredes são atividades fáceis para desencarnados, porém, necessita-se aprender. Infelizmente, não são só conhecimentos dos espíritos bons, todos podem fazer, bastando saber e ter principalmente consciência do seu estado de desencarnado. (N.A.E.)

companheiros desencarnados doentes, perturbados ou enlouquecidos pelas maldades sofridas, e os amigos encarnados, como também para nos vingarmos de nossos carrascos."

"Podem passar anos, mas me vingarei. Nem que eu tenha de esperar que esses caras morram, eu me vingarei!" – disse Clóvis com ódio.

Sinceramente, não estava com vontade de me vingar, mas de ajudar os companheiros. Mas não disse nada, pois naquela hora parecia não ter outra escolha.

Preferi ajudar outros companheiros desencarnados que estavam perturbados e achavam que estavam ainda vivos no corpo físico. Para mim, eles estavam enlouquecidos de tantas dores e humilhações. Tentava também ajudar os encarnados.[4]

Meses se passaram e não vi resultado. Parecia que a situação piorava. Os carrascos pareciam mais nervosos e maus. Dos companheiros desencarnados só alguns melhoraram. Os pobres encarnados sofriam muito. Um dia perguntei ao nosso chefe:

---

4. Para ajudar, necessita-se primeiro estar bem, e depois saber. Nenhum deles tinha condições para isso. Aos desencarnados ainda conseguem uma ajuda, ainda que precária, mas aos encarnados só os atrapalham mais. Mas vingar, obsedar, isso sim, conseguem, principalmente se suas vítimas vibram negativamente, igual, portanto. (N.A.E.)

"Clóvis, será que estamos ajudando mesmo? Será que para isso não seria necessário saber?"

"Não sei, José Luiz. Tenho pensado nisso. Mas podemos nos contentar planejando nossa vingança."

"Você não acha que eles colherão tudo o que plantam?"

"Pode ser. Mas me vingarei! Vingarei-me! Nem que Jesus me apareça, eu não perdoo! Não somos bandidos, nem marginais e fomos miseravelmente tratados assim por termos um ideal político, por não pensarmos como eles. Saberei planejar e organizar essa vingança, que não só atingirá os que cumprem ordens, mas também os que mandam."

"Você disse Jesus? Ele por acaso já esteve aqui?"

"Ele não, mas alguns que trabalham para Ele, sim. É só orar que um deles aparece."

Pensei muito no que ouvi. Não estava satisfeito ali, naquele lugar triste, vendo sofrimento e sofrendo. Afastei-me do grupo, fui para um canto do pátio e pus-me a orar as orações decoradas que sabia. Mas depois, com a oração saindo do coração, pedi ajuda e chorei.

"Quer ajuda? Está disposto a perdoar?"

"O senhor é Jesus?"

"Não, sou um desencarnado como você, porém tenho outra visão e entendimento."

"Perdoo todo mundo. Não quero vingança. Quero melhorar!"

Ele, então pegou em minhas mãos e volitamos. Senti um frio na barriga, mas amei voar.

Fui levado para um posto de socorro. Achei maravilhoso. Logo estava curado dos meus ferimentos, mas tive de fazer um tratamento psicológico para que pudesse entender os traumas que ficaram em mim pela tortura que sofri e por ter visto tantos companheiros mutilados.

Depois, fui encaminhado a uma colônia onde fui entender o plano espiritual e, depois, passei a ser útil pelo trabalho.

Soube de minha Márita. Ela conseguiu fugir com a filhinha, estava bem, casara-se de novo e tinha mais filhos.

Quando senti que era capaz de ajudar, pedi para auxiliar meus ex-companheiros. Voltei ao lugar em que estive quando desencarnei. Encontrei tudo mudado; ali estavam alguns espíritos que eu não conhecia. Fixando a mente neles, localizei-os. Receberam-me com alegria. Quando comecei a falar de mim, prestaram atenção no começo, mas logo se desinteressaram. Por mais que pedisse, implorasse, Clóvis e o grupo, grande nessa época, não me atenderam. Fizeram um núcleo no umbral onde promoviam um cerco cerrado aos que julgavam culpados. Infelizmente, não consegui convencer nenhum.

"José Luiz, será nosso amigo, se quiser continuar assim, porém não defenda esses miseráveis" – disse Clóvis.

"Não os estou defendendo, mas querendo o bem de vocês."

"Nosso bem é condenar os culpados."

Fui embora, mas não desisti, e sempre que posso vou até eles na tentativa de ajudá-los.

Aí está minha história. Gosto muito de literatura, amo o jornalismo, faço este curso para depois trabalhar com os encarnados. Vou tentar intuí-los na divulgação de artigos bons e bem feitos.

José Luiz quietou-se e foi a vez do professor Aureliano voltar a falar.

– Sua história é deveras interessante. Que exemplo bonito você nos deu, perdoando e não querendo vingar-se. Como também de tentar, mesmo passado tanto tempo, ajudar seus ex-companheiros. Se você tivesse lembrado de pedir de modo sincero como fez, ao desencarnar, teria sido socorrido antes.

– Será que eles não irão perdoar? – indagou Adelaide.

– Temos nosso livre-arbítrio – respondeu Aureliano. – Quem não perdoa sofre muito. Esperamos que um dia José Luiz faça-os entender para que possam ser felizes. Agora, vamos ao trabalho. Escrevam sobre o que ouviram.

Todos escrevemos. Depois, cada um de nós leu, e Aureliano deu várias opiniões:

– Não é bom realçar episódios negativos.

– O seu está muito extenso.

– Poderia ser maior.

– Este pedaço não está bem. Assim fica melhor.

Vi o tanto que ele era rigoroso e como ensinava bem. Entendi o que vinha ser a censura da casa. Há episódios que não se podem comentar. E que não são bons para serem relatados.

Depois de tantas observações, escrevemos de novo. Novamente foi lido. Aureliano chamou nossa atenção para algumas partes, mas elogiou o trabalho.

– Agora, pensem como o médium, ou como a pessoa encarnada que irão inspirar e que irá receber esta história.

– Acho que o médium, desconhecendo esta parte, não conseguirá captar – disse Ruth.

– Também acho – disse Aureliano. – Assim, terá de mudar este parágrafo.

Pensei bem no que os encarnados gostariam de ler. É uma história real, emocionante, mas teria que ser assim também para eles. Pensei na tia Vera, ela iria captar tudo? Escrevi pela terceira vez. Percebi que todos voltaram aos seus escritos, reformulando-os.

Assim foram todas as aulas de redação. Era escrita a história, censurada por todos nós com a coordenação do mestre e, logo após, escrita da forma como o médium poderia receber. Um verdadeiro aprendizado!

Capítulo 6

A reunião

O curso transcorria tranquilo, a professora Maria Adélia dava as aulas de literatura. Começou na parte histórica e acabou na atual. Deu atenção especial à literatura espírita e à espiritualista. Estudamos juntos as obras de Allan Kardec. Muito já tinha visto e lido sobre o Codificador da Doutrina Espírita, mas como foi agradável estudá-la com um grupo inteligente e com uma orientadora de grandes conhecimentos. Maria Adélia falava com tanto amor, que a matéria nos fascinava. Ter conhecimentos literários é importante para quem vai ou pretende trabalhar com a literatura.

Também nas aulas de Aureliano aprendemos todas as leis da censura da casa e passamos nós mesmos a criticar nossos trabalhos. Aprendi muito bem os três itens principais: escrever, o que escrever e para quem escrever.

Nesses dois anos, vim muitas vezes à Terra. Vinha sozinha e visitei familiares e amigos. Também conheci outras colônias e muito estive na minha querida Colônia São Sebastião. Fui a todas as colônias que se dedicam à literatura, como A Casa do Escritor, por diversos países da Terra. De fato, são parecidas, só que cada uma tem um toque especial na arquitetura do seu país. Em todas se fala o esperanto. É o idioma usado para a comunicação com visitantes de outros lugares. São encantadoras essas colônias! Aqui no plano espiritual muito se tem feito para que as boas obras progridam.

A Casa do Escritor é de fato movimentada. Gostava de passear por suas áreas e ver os detalhes de seus quadros, paredes e pisos. Mas de forma especial gostava de ficar nos pátios. Admirava com muito carinho as árvores e flores. As delicadas flores são de vários formatos e tamanhos, todas clarinhas, predominando as brancas. Passava horas admirando-as. Que perfeição nos seus contornos! Que maciez! Que beleza!

Mas o pátio oferece outro encanto. É um lugar onde todos se reúnem para conversar. Ali vemos encarnados, moradores da colônia e visitantes. Como é gostoso nos reunirmos em círculo e bater aquele "papo" edificante. São pessoas instruídas e amantes da arte, da literatura. Conheci muitas pessoas interessantes e escritores famosos.

Conversadeira, lá estava, nas minhas horas de lazer, pelos pátios e quase sempre enturmada em alguma roda, e conversa vai... Mas havia preocupações também.

– É com muito penar que vejo a literatura ruim ganhando mercado! – disse um escritor conhecido dos encarnados, que me pediu para não citar seu nome e explicou o porquê.

– Quando encarnado, tinha outras ideias que os familiares encarnados ainda conservam. Não quero que eles se melindrem por haver citado meu nome. Agora estou morto e acabado para eles.

Pensando nisso, cito neste livro poucos nomes, de preferência somente o primeiro. Porque poderia esquecer o de alguém, o que me parece injusto. Todos os que frequentam esta casa são grandes para mim e maravilhosos. Mas, voltando à conversa, todos infelizmente concordaram com ele.

– Sabemos que há equipes de irmãos ignorantes que tentam fazer o mal, esforçam-se mesmo para acabar com a boa literatura e ajudam, incentivam a ruim. A leitura modifica os pensamentos, tanto para o bem como para o mal – disse o simpático senhor Rolando que, encarnado, foi um lutador fiel do livro espírita e continua ativamente ajudando à causa.

– A literatura edificante tem de ser cativante e interessante para motivar os leitores a lerem cada vez mais – completou com sabedoria e simplicidade Júlio César, um escritor de talento.

– Não podemos desanimar nunca. Nosso trabalho tem de ser incessante – falou com alegria José.

– Mas estamos longe do ideal – acrescentou Rolando. – Muito se tem de fazer, e nossa ajuda é fundamental. Os encarnados necessitam de nosso auxílio. Não devemos negligenciar em nosso trabalho.

E a conversa ia longe. Que gostoso participar, ouvir conversas tão interessantes.

Gostava também de meditar nos bancos confortáveis que estão quase sempre embaixo das árvores floridas. Numa tarde em que meditava, aflorou em minha memória uma das conversas que tive com meu pai. "Filha" – disse-me ele –, "não deixe que somente o entusiasmo seja o motivo de seu trabalho. Cultive o amor pelo que faz, pois o entusiasmo é da mente e o amor é do coração, do sentimento. O que é da mente, é passageiro, mas o amor é eterno. Procure envolver com amor tudo aquilo que fizer com entusiasmo.

O cultivo da harmonia e fraternidade é o antídoto dos nossos conflitos psíquicos e até de dores materiais, pois eles provêm dos conflitos psicológicos.

A felicidade verdadeira só existe quando estamos desapegados de qualquer interesse particular. Nossa personalidade tem a impressão de que, neste estado isento de egoísmo, perdemos o interesse pela atividade; isto realmente acontece quando só temos como fim nossa satisfação ou nossos prazeres. Se procuramos ver, amar e sentir Deus nas suas manifestações, somos inundados por um contentamento puro e de alegria não maculada pelo desejo de satisfação própria. Para mim, isto é a real felicidade.

Para a maioria dos encarnados, felicidade é sinônimo de poder, seja mental ou material, satisfação, ociosidade e prazer. Entretanto todos esses estados são cultivo de futuras dores que não tardarão a florescer.

Observando tantos encantos que o Pai criou, vislumbrei, como que numa compreensão simultânea, um pouco das dificuldades da vida humana, até que o homem se volte para viver como parte integrante do Universo. Quando esta integração for realidade constante, o ser humano viverá o oposto de todo este sofrimento."

Graças a Deus, eu estava vivendo o oposto.

Como já disse, A Casa do Escritor é móvel. Isto é, ela se locomove de acordo com as necessidades do momento. Ela pode estar um dia no Sul e, no dia seguinte, no Norte do Brasil. Como também estar na crosta, onde estão os postos de socorro, ou ir para esferas superiores, onde estão as colônias. É como se ela volitasse. Quem está dentro da colônia nada sente. Mas se for a um dos pátios externos, que a circundam, pode ver a viagem como se estivesse num avião. É muito interessante observar a colônia se locomovendo. Isso é feito pelas mentes dos diretores ou da equipe de moradores daqui.

A primeira vez que vi, deliciei-me. É muito agradável, a casa parece deslizar tranquila pelo espaço. É por isso que a encontramos por sua vibração. Ao ficarmos dias em excursões ou mesmo em outros trabalhos, se quisermos saber onde a colônia se encontra, basta mentalizá-la e seremos levados até ela.

– Vamos ter uma reunião no Norte! – exclamou um dos moradores. – Será uma reunião com encarnados.

Alegrei-me muito por estar de folga. Assim, fui ver a casa locomover-se e pude assistir à reunião. São promovidas muitas reuniões com encarnados, e seu movimento aumenta. É necessário organizar e marcar com os convidados os locais onde a casa deverá ir.

Esperei ansiosa pela reunião. Que agradável surpresa! A colônia parou sobre a cidade de Manaus. Era de tardinha e a reunião estava marcada para a noite, uma hora da madrugada. Os convidados seriam os encarnados da região e também alguns desencarnados. Todos trabalhavam na divulgação do livro espírita.

Às onze horas, um grupo saiu para buscar os convidados encarnados. O pátio da frente estava radioso, todo iluminado. Uma música suave e bonita se ouvia por toda a parte da frente. A reunião seria em um dos salões de porte médio, já que não viriam muitas pessoas.

Fiquei no pátio, curiosa, tanto observando como conversando. À meia-noite começaram a chegar os convidados. Os desencarnados normalmente chegam primeiro. Os encarnados que deixaram seu corpo dormindo, chegaram felizes. Uns, totalmente conscientes, cumprimentaram todos alegres, outros chegavam admirados, e alguns infelizmente ficaram um tanto alheios. Um dos moradores, que estava a meu lado, esclareceu:

– Vemos que nem todos estão amadurecidos igualmente. Muitos estão acostumados a estes encontros, outros, é a primeira vez que participam. Assim não podem estar igualmente conscientes e interessados.

No horário previsto, todos estavam presentes. Fomos orientados a nos dirigir para o salão. Depois de acomodados, foi feita uma prece muito bonita, e a palestra começou.

Qual não foi minha surpresa, quando levantou-se e ficou à nossa frente o doutor Adolfo Bezerra de Menezes, que cumprimentou a plateia sorrindo.

– Boa noite, caros irmãos! Que Jesus esteja presente em nossa reunião.

Falou, com sua voz sempre agradável, da necessidade de os encarnados estarem unidos e firmes no trabalho de divulgação da literatura espírita. Da necessidade que temos de ler e aprender por meio das boas obras. Disse conhecer as dificuldades existentes, mas que com boa vontade tudo se resolveria. Gracejou com os presentes. Sorrimos felizes. Como é bom ter conversas importantes com alegria. Foi aberto o espaço para perguntas. A plateia no começo se manifestou timidamente, mas depois muitos indagaram e o orador respondeu atenciosamente, magnificamente. Foi com pesar que escutamos:

– Está terminada a reunião!

Houve abraços de despedidas. Dois dos encarnados ficaram para uma reunião particular. Os moradores da casa se aproximaram dos encarnados para levá-los novamente ao corpo, que estava adormecido. Esses encontros particulares são atendidos pelo diretor da casa. Se existem pedidos de ajuda, são anotados e analisados imediatamente. O auxílio se inicia tendo em vista a possibilidade da casa. Se forem conselhos ou opiniões, o diretor com sapiência e paciência conversa com eles. Todos saem satisfeitos.

Alguns convidados desencarnados e alguns moradores ficaram por ali. Todos queriam continuar desfrutando a presença do glorioso médico, escritor e espírita brasileiro. Também fiquei e foi com contentamento que dele escutamos:

– Temos de incentivar as boas coisas, os fatos importantes. Dar ênfase a tudo o que é lindo. O entusiasmo faz parte da vida!

Aos poucos todos foram voltando aos seus afazeres. A reunião acabou. A casa ficou dois dias ali atendendo consultas, realizando ajuda. Depois foi transferida. Assisti a muitas reuniões, com proveito. E que proveito!

Depois de muitas reuniões, fui escalada para fazer parte da equipe encarregada de trazer e levar os encarnados convidados. O trabalho começa à tarde e, às vezes até pela manhã. Nas primeiras vezes, acompanhei Otacílio, um amigo já experiente que me explicou:

– Hoje vamos levar para a reunião, Suely, uma jovem que começa a dedicar-se à tarefa de divulgar livros espíritas.

Logo que a vi, simpatizei-me com ela. Acompanhamos seu trabalho material na parte da tarde.

– Suely trabalha muito – esclareceu Otacílio. – Aqui estamos para que tudo dê certo, para que sinta nossas vibrações, fique calma, possa dormir tranquila e ser afastada do corpo físico com facilidade.

Ficamos perto dela. Tarefa agradável, pois ela é muito simpática. Tudo deu certo. Suely dormiu tranquila. No horário marcado, Otacílio lhe deu um passe, ela se desprendeu fácil do corpo carnal, nos observou e sorriu. Otacílio lhe explicou:

– Suely, viemos buscá-la para uma reunião importante. Lembra-se? Comunicamos-lhe na semana passada.

– Lembro sim. Estou pronta. Podemos ir. Mas com que roupa devo ir? Não posso ir em trajes de dormir.

– Certamente, troque de roupa se acha necessário – disse Otacílio. – Esperaremos por você.

Saímos do quarto e Suely, rapidamente, trocou de roupa. Este fato é interessante, porque quando encarnada estava sempre a pensar com que roupa sairia do corpo. Normalmente pessoas boas, instruídas, vestem-se discretamente e saem com as roupas que costumam usar. Raramente temos convidados nas reuniões de A Casa do Escritor com roupas de dormir. Suely era inexperiente, pois quem está acostumado a sair do corpo já plasma a roupa que quer usar, faz isto maquinalmente. O perispírito, nesse caso, veste-se de roupa plasmada, idealizada. Suely, ao se trocar, pegou uma cópia, criou pela vontade o duplo dela, trocou o pijama por outra roupa que lhe convinha. Não é agradável ver convidados com trajes de dormir. Quando o convidado está assim, quem vai buscá-lo aconselha-o que se troque. Suely estava discreta, mas quis ir bem-arrumada, porque para ela ia a um lugar importante, e tinha razão. Os que já estão acostumados a sair do corpo e ir a reuniões ou encontros com amigos mudam de traje automaticamente. Alguns preferem só um tipo de roupa, outros, qualquer uma das que possuem. É comum ver, à noite, encarnados desprendidos pelo sono andando pela cidade, indo ao umbral, com vestes menores, seja com trajes de dormir, seja muito enfeitados. Infelizmente se sentem bem assim, vibram assim. Mas em lugares sérios, de estudo, todos se trajam bem e com discrição.

Demo-nos as mãos, Suely ficou no meio de nós dois, e volitamos até a colônia. Após a reunião, retornou conosco e, novamente com passes, a deixamos a sono solto.

Fui com Otacílio fazer convites para a próxima reunião, pois os mesmos são feitos dias antes. Volitamos até a região onde a reunião seria realizada e localizamos as pessoas a serem convidadas. Para que o encarnado não se assuste e não tema ser enganado, notifica-se antes o seu protetor, ou guia, um espírito em quem o convidado confie. Na hora do convite, esse espírito amigo fica junto de nós e também quase sempre participa da tarefa do transporte, além das agradáveis reuniões. Esperamos o encarnado dormir e, desprendendo-o do corpo, conversamos com ele. É gostoso fazer convites. Os que já estão acostumados nos recebem com alegria, como acontece com um senhor que há tempos vende, divulga e ama os livros espíritas. Seleciona, com outros companheiros, livros que serão vendidos em bancas, clubes e feiras de sua cidade. O senhor José Antônio nos abraçou, sorrindo.

– Que convite agradável! Já sentia saudade das reuniões. Há tempos que não me vêm buscar. Temia ser esquecido. Quem conhece a colônia, sente falta, não é mesmo?

Para muitos convidados, o pessoal da casa só faz o convite, e eles vêm com companheiros desencarnados que trabalham com eles. Muitos encarnados que não são filiados, mas são amantes da literatura espírita, são em certas ocasiões convidados e ficam muito contentes com o que veem e ouvem nas reuniões.

Mas nem tudo dá certo. Existem contratempos também. Como quando, ao buscar uma convidada, a encontramos com uma tremenda dor de dente que não a deixava dormir. Otacílio e eu tudo tentamos para ajudá-la. Conseguimos que a dor amenizasse e que dormisse, mas não foi possível retirá-la do corpo.

– Ela está agitada e cansada – disse meu companheiro. – Hoje não poderá ir. Ficará para uma próxima vez.

– Sentirá por não ter ido? – indaguei ao meu companheiro.

– Sim, todos amam muito esses encontros fraternos. Mas, quando acordar, poderá sentir somente uma leve impressão de que ia a um lugar agradável e não foi.

Às vezes, a dificuldade é outra. Como o caso de um dos convidados, cujo pai havia desencarnado e ele estava no velório. Também encontramos um convidado que fora a uma festa e não estava dormindo no horário marcado. Outro, havia bebido com os amigos.

– Não podemos levar ninguém com emanações de bebidas alcoólicas. Ele irá numa próxima vez.

Esse trabalho de equipe consiste também em determinadas ajudas após as reuniões. Às vezes, os convidados fazem apelos, pedem opiniões e ajuda. São escaladas equipes que vão, logo que possível, até essas pessoas. As queixas maiores, quando fiz o curso foram: falta de poder econômico e ataque dos irmãos ignorantes.[5] Começávamos nosso trabalho indo até as pessoas e editoras, estudávamos a situação, tentávamos junto aos encarnados resolver os problemas. Tínhamos pedidos também para inspirar capas, folhetos ou como fazer o melhor livro. Também opinávamos se este ou aquele livro deveria ser editado. Livros que passam pela A Casa do Escritor já são aprovados; outros, nem sempre. Quando surgem bons escritores não filiados à casa, trata-se logo de convidá-los para se filiarem. Esse trabalho é gostoso.

---

5. Os ataques de irmãos ignorantes ou de espíritos que temporariamente seguem o caminho do mal, tentamos resolver de muitas maneiras, ou pelo menos procuramos suavizar essas pressões. Não posso descrever o que usamos ou o que fazemos. Mas o principal é incentivar os encarnados a vibrar melhor para não entrar na mesma onda das vibrações deles. (N.A.E.)

Indaguei ao Otacílio:

– Sabe de algum convite da casa para filiação que foi recusado?

– Sim, temos convites recusados. Tanto de escritores encarnados como de desencarnados. Muitos não querem seguir os regulamentos da casa e não se filiam. Temos recusas de médiuns psicógrafos também pelos mesmos motivos. A causa principal é a pressa. Muitos não têm paciência para um treino maior e muito estudo. Nem todos os médiuns psicógrafos preparam-se para isso.

– Mesmo sem preparo eles escrevem? – indaguei.

– Sim, eles têm o livre-arbítrio. Infelizmente, seus trabalhos não saem como deveriam.

Fiz parte dessa equipe com muito gosto. Lembrando o que Antônio Carlos havia me falado, A Casa do Escritor é muito movimentada, e fazer parte dela é estar sempre alerta. A equipe fica pronta para acolher qualquer pedido de ajuda de seus filiados, atendendo chamados de companheiros que trabalham com bancas, editoras e feiras do livro espírita.

Foi um trabalho prazeroso e de muito aprendizado para mim.

Capítulo 7

Aprendendo sempre

Comecei, no decorrer do curso, a prestar mais atenção nas pessoas e estava sempre pensando: "O que será que houve para essa pessoa ser assim? Que fato terá ocorrido para ter essa consequência? Por que faz essa tarefa? Será que está reparando erros?". Comecei a ficar tal qual meu amigo Antônio Carlos, um colecionador de histórias. Foi com ele que comentei esse fato.

– Antônio Carlos, todos nós temos uma história. Tenho observado as pessoas e fico me indagando qual a causa que as levou a tal efeito. Tenho curiosidade, por exemplo, de saber qual foi a ação que levou tia Vera a ter esta reação: ser médium psicógrafa. Terá alguma causa?

– São muitas as causas que levam, às vezes, à mesma reação. Nem todos os médiuns têm a faculdade pelo mesmo motivo. Alguns reparam erros, outros a têm como uma oportunidade de trabalho para o progresso. Médiuns psicógrafos não fogem à regra. Falando de sua tia, ela repara erros. Por volta do ano de 1700, ela estava encarnada e dedicou-se à literatura. O espírito, que nesta encarnação é sua tia, há muito tempo ama escrever e ler, embora tenha abusado desse dom. Encarnada em 1700, na França, vestida no corpo físico de um homem, ela foi um escritor ateu. Incutiu em seus leitores a ideia de que Deus não existia e incentivou, com seus escritos, os prazeres mundanos. Desencarnou assassinado por um de seus inimigos. Sofreu muito. Teve outras encarnações, perdeu o dom de escrever pelo abuso e pelo remorso. Muitas vezes, Patrícia, ao termos um dom, melhor dizendo, ao sabermos fazer algo e errarmos, sofremos e o remorso faz com que rejeitemos esse saber. Isto ocorreu. Ao pedir para reencarnar desta vez, vendo seu erro irreparado, preparou-se para construir o que destruiu no passado com sua escrita. Só que, agora, não faz por si mesma. É intermediária, escreve pensamentos alheios. Se outrora exaltou o materialismo, hoje prega o espiritualismo. Se tentou no passado negar a existência de Deus, hoje exalta o Criador com profundo Amor. Trabalha construindo, repara erros e faz o bem.

– Isto é ótimo! Em vez de sofrer por um erro, trabalha reparando!

– Quase sempre trabalhamos na área onde erramos. Mas esse fato não é regra geral. É a primeira vez que você trabalha com a literatura e não está reparando erros, é somente mais uma tarefa que lhe foi confiada. Por isso é que digo não ser regra geral. Muitos trabalhos são tarefas, oportunidades de aprender e crescer espiritualmente.

Meditei muito sobre o assunto e achei genial reparar erros trabalhando no bem, reformando-se interiormente para melhor.

Nossas aulas sempre foram muito interessantes. Várias histórias foram narradas para que escrevêssemos, como a de Maria da Penha.

– Faço este curso e depois farei outro que me preparará para, encarnada, ser médium – disse ela com seu jeito meigo. – Devo, então, psicografar. Sim, quero e pretendo ser uma boa médium psicógrafa.

– Você tem motivos para isso? – indagou Henrique.

– Sim. Na encarnação anterior falhei como médium, e quero voltar à tarefa, por isso me preparo para sentir-me mais forte e não falhar. Narro a vocês minha história. Nasci em uma família simples e pobre; desde pequena tinha visões e escutava vozes. Minha avó era benzedeira e com ela aprendi a benzer logo na mocidade. Casei-me jovem e tive um filho atrás do outro. Nesse período, minhas faculdades mediúnicas ficaram adormecidas. Tive dezesseis filhos. Acho que é este motivo que leva as pessoas, logo que me conhecem, a sentirem meu carinho maternal, ou também porque sinto por todos um amor de mãe, explicando assim por que me chamam carinhosamente de mãe de todos. Graças a este amor não sofri tanto. Meu caçula estava com cinco anos quando meu marido perdeu o pouco que tinha e ficamos na mais negra miséria. Passamos fome realmente. Tinha começado a sentir a mediunidade e fui a um centro espírita. Lá eles me aconselharam a trabalhar. Não me interessei, pois queria naquele momento arrumar uma forma de ganhar dinheiro. Ajudada, aconselhada por espíritos que não querem nos ver no trabalho edificante, aos quais dei ouvidos, achei uma maneira de ganhar dinheiro, usando de modo errado minha mediunidade. Passei então a ler sorte, benzer, tirar mau-olhado e quebranto. Fazia isso em minha casa, sempre cobrando. Para olhar a sorte, o futuro de uma pessoa, basta ter certa sensibilidade e aprender para conseguir fazer. As pessoas que agem assim, em sua maioria, leem o passado, o presente e o futuro de outra pessoa; usam, de alguma forma, ritual físico para ler a aura do consulente. Poucas pessoas sabem fazer isso, e assim mesmo nem tudo pode ser revelado. Outros sabem um pouco e com esse pouco vão enganando, acertando muitas coisas, mas errando também. Para benzer e impressionar, fazia orações com ramos verdes e receitava algumas simpatias que minha avó me ensinara. Mas minha avó, embora pobre, nunca cobrou nada. Com esse dinheiro alimentei meus filhos. Os trabalhadores do centro espírita, a que fui algumas vezes, tentaram alertar-me dizendo que, se os bons espíritos me davam de comer, seria necessário eu dar também. Nossa situação econômica melhorou, meu marido acertou-se novamente e os filhos maiores passaram a trabalhar. Ganhei de um senhor espírita a coleção dos livros de Allan Kardec e também preciosos conselhos. Dizia-me ele, bondosamente: "Não deves cobrar, procure um centro espírita e trabalhe para o bem. Dá de graça o que de graça recebeste."

Mas a vaidade de ter ajudado muitas pessoas e de ser citada como boa benzedeira e boa vidente me deixava orgulhosa. Não quis deixar o que fazia para ir aprender em um centro espírita. Mas, apesar de cobrar, ajudei de fato muitas pessoas. Sabia tirar fluidos nocivos dos encarnados, fluidos que uma pessoa passa para outra como projeção de inveja, ciúme e ódio. Com orações e rituais, minha mente atuava resolvendo alguns problemas; era uma espécie de magnetizadora. Certamente nem todos os problemas eu solucionava e, quando havia espíritos com os encarnados, o que fazia era orar por eles. Achando que dinheiro seria sempre bem-vindo, cobrava normalmente. No começo justificava-me, dizendo que era para comprar alimentos para meus filhos, depois, porque sempre estava necessitada de comprar algo, mas sempre objetos supérfluos. O fato era que sempre tinha algo a fazer com o dinheiro em meu próprio benefício, dos meus filhos e dos meus netos. Só que me esqueci de fazer caridade. Eu, que passara pela pobreza, deixei de auxiliar outros que enfrentavam a miséria. Muitos podem fazer o que fiz, sem saber do erro enorme cometido. Mas eu soube, tive oportunidade de ser advertida, mas não dei atenção. Li os livros de Allan Kardec, pus a "carapuça" nos outros, ou seja, coloquei para outras pessoas as advertências dos livros, justificando-me. O fato é que não os entendi bem, mas era o suficiente para saber que não deveria cobrar e, sim, trabalhar com minha mediunidade num grupo sério, fazendo o bem. O que me consola é que não fiz o mal. Por muitos anos vivi assim, até que desencarnei. Como disse, não sofri demasiado por ter alguns fatores a meu favor, como ter pedido a oportunidade de crescer e reparar erros do passado, com a mediunidade. Porque, recordando a existência anterior, vi que tinha sido uma freira severa que perseguia, no convento, quem tivesse alguma mediunidade. Não se deve chorar pelo passado, só tirar lições para o futuro. Anseio por nova oportunidade e planejo reencarnar novamente e ser médium. Desta vez quero, pela psicografia, educar-me e tentar educar a muitos. Devo ser pobre novamente e vencer a tentação de usar a mediunidade para ganho material.

Maria da Penha silenciou e deu um longo suspiro, mas logo sorriu, cheia de esperança. Sorrimos também. Não é porque se errou uma vez que não se pode vencer no futuro.

– Maria da Penha, você vai saber ler a sorte de novo? – perguntou Ruth.

– Amiga, quando sabemos algo, esse conhecimento é nosso, seja ruim ou bom. Certamente poderei lembrar ou aprender facilmente. Mas não o farei por dinheiro, e meu desejo é mesmo não fazer isso. Se o futuro existisse para o conhecermos, cada um de nós saberia o próprio. Não vejo como fazer o bem que almejo, lendo a sorte. Não, Ruth, não quero repetir isso de novo.

– Você, Maria da Penha, na encarnação anterior preparou-se para reencarnar? – indagou Osvaldo.

– Sim, preparei-me, mas não muito, como estou me preparando agora. Tento, num esforço maior, fixar os ensinamentos na minha mente. Tenho muito medo de errar, mas possuo também muita confiança. Tenho um amigo que permanecerá desencarnado e me acompanhará; será meu guia, protetor, pessoa severa e boa que me ajudará na psicografia. Preparamo-nos para escrever obras lindas no futuro. Estas aulas de redação estão sendo muito importantes para mim, porque aprendo a narrar histórias para, no futuro, ser mais fácil escrevê-las.

Com curiosidade sadia, indaguei ao mestre Aureliano:

– Maria da Penha aprende a escrever histórias. Não seria importante também que ela aprendesse a fixar datas e nomes para que, quando encarnada, médium psicógrafa, tivesse facilidade de escrever estes itens?

– Sua pergunta, Patrícia, é bem interessante. Será que se Maria da Penha, que falhou anteriormente, tiver na próxima encarnação facilidade de receber, de psicografar datas e nomes, não terá sua vaidade tentada? Não será um peso demasiado para seus ombros fracos? Poucos estão preparados para este evento. Que bom seria se todos os desencarnados pudessem, por intermédio de encarnados, provar sua identidade com nomes e datas que o médium desconhece. Mas não seria para esses médiuns uma porta aberta à sua perdição? Não ficariam orgulhosos e vaidosos disso? De fato, se todos pudessem, como Chico Xavier, escrever nas mensagens datas e nomes que comprovam quem realmente é o evocado, seria ótimo para a credibilidade de muitos. Mas, como disse, é um pesado fardo que só ombros fortes aguentam sem se perder. Chico Xavier conseguiu isso com muitos anos de trabalho e estudo, e só depois de alcançar sua atual elevação espiritual. Escrever fatos é o bastante para começar, depois outros pormenores virão com o tempo. E, para quem quer crer, um pingo é letra.

– E você, Aureliano, não terá também uma história interessante? – perguntou Henrique, sorrindo.

Aureliano sorriu e, com seu jeito simples, falou:

– Sou um espírito milenar. Há muito descobri o gosto pela leitura, pela escrita. Na minha memória, lembro-me das primeiras encarnações na Terra, grafando desenhos na pedra. Também sempre gostei de ensinar o que sabia. Sou mestre de longa data. Nas andanças pela Terra, sempre nas minhas encarnações, aprendi a ler, escrever e fui apurando meu gosto pela literatura. Certamente tenho muitas histórias de amores, desafetos e vitórias a relatar. Nas últimas encarnações tentei procurar Deus nas diversas religiões. Encontrei-O dentro de mim mesmo. Estou há trezentos anos desencarnado e, neste período todo, dedico-me a ensinar. Quando esta casa foi criada, senti grande alegria ao vir para cá. Leciono dezesseis horas por dia, aqui e na colônia de estudo. O restante, oito horas, dedico à literatura que tanto amo. Ou seja, ajudando ex-alunos encarnados, lendo obras novas e procurando aprender para melhor ensinar.

– Não irá reencarnar, Aureliano? – quis saber Adelaide.

– Não tenho planos. Devo continuar ensinando no plano espiritual ainda por muito tempo. Preparar espíritos que têm necessidade de encarnar é meu objetivo.

– Essa sua tranquilidade tem causa? – indaguei.

– Certamente, a da consciência tranquila. Atualmente ao recordar o meu passado nada tenho para reparar. Se reencarnasse seria para progredir, mas faço esse progresso aqui mesmo. Aprendo muito, ensinando.

– Quando reencarnar, fará falta aqui – disse Ruth.

– Não! Ninguém é insubstituível. Digamos somente que estou bem encaixado no meu trabalho. E me alegro com sua carinhosa observação. Creio que, quanto mais forem os desencarnados a se prepararem para a encarnação, mais chance terão de progredir, de realizar boas tarefas. A Terra está necessitada de muita aprendizagem.

Minha admiração por Aureliano cresceu ainda mais. Como é agradável encontrar pessoas dispostas a passar aos outros tudo o que sabem. É fantástico ensinar!

Capítulo 8

A biblioteca

Um lugar em que gostava e gosto muito de ir é a biblioteca. A da Colônia A Casa do Escritor é realmente fantástica. Espaçosa, bem clarinha, com lindos lustres e janelas redondas, grandes, com alguns vidros coloridos, formando delicados desenhos em tom claro. Há muitas estantes, tudo é catalogado, muitas escrivaninhas para pesquisas e sofás confortáveis. Para achar o que se quer ler, temos o auxílio de um avançado aparelho parecido com o computador que se tem na Terra. Mas há também um bibliotecário à disposição para atender os leitores.

A coleção de livros antigos é encantadora. Em destaque estão a Bíblia e os Evangelhos, com traduções diferentes, grandes, pequenos, ilustrados, com desenhos dos apóstolos, que são maravilhosas obras de arte. Em todas as bibliotecas do plano espiritual, em destaque estão os Evangelhos e alguns livros importantes sobre os mesmos.

Logo na entrada, há uma estante com os livros de Allan Kardec, em francês e em português. A colônia dá muito valor a essas obras. Junto delas também encontramos a biografia do mestre francês e também dos principais companheiros e médiuns que o ajudaram. Há um livro que o próprio Kardec escreveu quando desencarnado para as colônias de literatura em especial, falando de si próprio e de sua obra. O livro é pequeno e simples e diz das dificuldades que encontrou durante seu trabalho, de suas dúvidas, dos esclarecimentos e de suas amizades.

– Que livro bonito! Poderia conter mais detalhes, não acha? – indaguei à bibliotecária. – Ele mesmo escreveu tão pouco de si mesmo.

– Mostra a simplicidade do nosso codificador. Temos aqui biografias suas bem mais extensas, escritas por outros companheiros. Acredito que Kardec ao fazer este livro quis exemplificar que ele também lutou com seus problemas e defeitos, que se esforçou para fazer seu trabalho, e que foram horas, dias e anos de luta para consegui-lo. Não foi um trabalho fácil nem o recebeu sem esforço. Mostra-nos que, se ele conseguiu, todos nós podemos também fazer algo de útil.

– Será que os encarnados poderão ler este livro um dia? – indaguei novamente.

– Não está nos planos divulgá-lo entre os encarnados. Este livro só se encontra nas bibliotecas de colônias de literatura. Certamente o emprestamos e muito. Todas as colônias que se dedicam à literatura edificante, como A Casa do Escritor, têm pelas obras de Kardec um carinho especial e um lugar de destaque.

Já havia visto, em outras colônias, bibliotecas e salas de vídeos bem maiores e mais bem equipadas que na A Casa do Escritor, mas nem por isso ela deixava de ser encantadora. Quando necessitávamos ou queríamos ler uma obra que não havia lá, pegávamos emprestado em outras colônias. O empréstimo é facílimo. Pedimos por um aparelho, que dá uma leve lembrança do fax, e em minutos recebemos a obra.

À direita da biblioteca estão os livros espíritas, todos bons e já editados para os encarnados. Também há obras escritas por desencarnados que os encarnados ainda desconhecem. Algumas muito importantes sobre os temas da Doutrina Espírita. Que gostoso ler! Na colônia todos amam aprender, afinam-se com o gosto literário e têm um objetivo comum: divulgar e fazer boas obras.

A matéria dada por Maria Adélia exigia-nos muitas pesquisas e fazíamos muitos trabalhos. Nessas ocasiões, íamos os oito à biblioteca. Que satisfação! Passávamos horas lendo e nos informando. Fizemos lindos trabalhos.

Também ia muito à sala de vídeos. Revi muitas vezes as fitas da formação da Terra e dos principais acontecimentos do nosso planeta. O que gosto especialmente de ver é tudo que existe sobre Jesus. Foram gravados quando Ele estava encarnado. Podemos analisar os principais fatos acontecidos com Ele, todos os seus ensinos e parábolas. São encantadoras e seus dizeres são maravilhosos. A primeira vez que vi Jesus, chorei o tempo todo. Ainda agora, que já perdi a conta das vezes que O vi, emociono-me, em certos pedaços, e choro. Também gosto de assistir aos vídeos que temos sobre Allan Kardec. Ele trabalhando com sua equipe, tanto a encarnada quanto a desencarnada. Organizando *O Livro dos Espíritos* e *O Evangelho segundo o Espiritismo*. Para aqueles que gostam de aprender, lugares assim são deveras atraentes.

Ia muito às reuniões da casa. A colônia recebe visitas de moradores de outras casas e de diversos países. Trocam-se muitas ideias. Recebem-se também muitas pessoas importantes da literatura, tanto dos que estão encarnados, como dos desencarnados. Quase todos filiados à casa. De modo especial, encantei-me com os escritores espíritas: Emmanuel, André Luiz e Joanna de Ângelis. André Luiz, sempre que possível, brindava a casa com suas palestras instrutivas e cativantes. Foi uma alegria imensa ouvir Emmanuel num encontro com todos os filiados do Centro-Leste.

É um prazer ver encarnados escritores e médiuns em reuniões de incentivos e esclarecimentos. Para muitos, a casa é como uma fonte de energia e força, onde se beneficiam, se restauram e mais: recebem o apoio espiritual que necessitam. Porque, às vezes, os encarnados passam por períodos difíceis e precisam do carinho dos amigos para não desanimarem.

Gosto muito de indagar, de saber, e assim procurava sempre a companhia dos que poderiam me ensinar. Conversava bastante com o simpático e instruído diretor da casa. Assim soube de tudo o que queria.

– Senhor diretor, fale-me um pouco da casa, do seu trabalho e dos filiados.

– Patrícia – disse ele sempre gentil –, amo este lar e temos nos esforçado bastante para que a nossa tarefa dê frutos. Seus objetivos, seus trabalhos são maravilhosos. Temos prestado muita atenção em todos os que trabalham com a literatura espírita. Nossa lista de filiados é grande. Todos os que divulgam, vendem, editam e escrevem para a literatura edificante têm nossa assistência. Se por dois anos contínuos fazem esse trabalho, são filiados à casa.

– Se uma pessoa trabalhar nesse setor um determinado tempo e abandonar, continua filiado?

– Tudo faremos para incentivá-la a não abandonar ou a voltar. Mas ela, sendo livre, certamente pode abandonar a tarefa começada. Se depois de muita insistência de nossa parte ela desistir realmente, é estudada a causa que a levou a essa atitude. Porque, às vezes, existem justificativas, como doenças ou algumas dificuldades sérias. Nesse caso, continua filiado. Mas, se não houver motivo, pode ser desligado, mas terá sempre em seu favor o trabalho já realizado.

– Ao desencarnarem, os filiados recebem alguma ajuda especial? – indaguei novamente.

– Aqueles que ajudam a boa literatura costumam ler também e aprendem muito. A maioria, com algumas raras exceções, aproveita o que lê para o bem de si mesmo. Faz por merecer ser socorrido após a desencarnação. Fazendo-se merecedor, recebe ajuda, sim. Quando prevemos a desencarnação de um filiado, nossa equipe vai ajudá-lo nos últimos dias, em seu desligamento, e o conduz para uma colônia de socorro de sua preferência ou do espaço espiritual de sua cidade material. Pode ser levado também para postos de socorro. Depois dessa ajuda, cabe a eles continuarem no local para o qual foram transportados ou não. Todos temos o livre-arbítrio de querer ou não o socorro. É difícil um caso em que o filiado não aceite a nossa ajuda. Como disse, para si faz, quem lê, divulga, vende, ou até escreve boas obras.

– Já aconteceu de um filiado não merecer essa ajuda? – perguntei curiosa.

– Infelizmente, sim. Mas, graças à bondade do Pai, é raríssimo o fato. Mesmo assim, ele é vigiado por nós e, quando possível, socorrido.

– Já ocorreu de espíritos ignorantes tentarem vingar-se de espíritos filiados quando estão desencarnados recentemente? Este vingar que digo – expliquei – sei que não tem razão de ser. Mas já ouvi muito por aí esses irmãos xingarem, blasfemarem, rogarem pragas; o que quero saber é se aconteceu de eles desejarem vingar-se dos que fazem o bem.

– Sua pergunta, Patrícia, é muito interessante. Esses espíritos, infelizmente, têm ciúme do esforço que fazem muitos irmãos que caminham para o progresso e fazem o bem. Eles falam, mas fazer é outra história. Não conseguem. Só conseguirão se essa pessoa se descuidar e vibrar como eles, assim mesmo terão oportunidades de receber sempre ajuda e conselhos dos bons. Realmente, escutamos muito esses irmãos falarem assim, porque, às vezes, o bem que se faz pode atrapalhar uma maldade desses espíritos. Em nosso trabalho, um bom livro são sementes boas que têm frutificado em muitos corações. E isso pode incomodar. Mas, respondendo diretamente à sua pergunta, não podem. Primeiro, porque já disse que nossos filiados recebem assistência e, quando desencarnam, os vingativos nem podem chegar perto. É justo que o trabalhador do bem receba seu salário na hora da desencarnação. Quem fez bons amigos trabalhando para o bem fez amigos fiéis que o ajudam quando necessário. Quanto às maldições e pragas deles contra os bons, a eles retornam por não encontrarem ressonância.

– Aqui não existem recém-desencarnados? Não se pode trazê-los para cá?

– Não, aqui é lugar para os que estão totalmente adaptados ao plano espiritual. Mesmo para os justos, a desencarnação traz necessidade de uma recuperação e descanso. Nem que seja breve sua adaptação à vida espiritual, deve ser feita em local próprio. Por isso, são levados à colônia de socorro. Muitos, após um período, podem escolher o que irão fazer depois. Há também os que foram filiados, quando encarnados, e que depois preferem outras formas de atividade.

– Pode-se filiar depois de desencarnado?

Indaguei e ri. Não havia acontecido esse fato comigo? Mas, já que fizera a pergunta, o amável senhor respondeu, gentil.

– Certamente. Você, Patrícia, se filiou agora. Quando encarnada, embora gostasse da boa literatura e dos livros espíritas, não chegou a trabalhar com eles para merecer uma filiação. Isso acontece bastante. Muitos não tiveram a oportunidade de se filiar quando encarnados e o fazem depois. Aproveito para lhe dizer que é um prazer tê-la conosco, mesmo sabendo que será por pouco tempo. Conheço seus planos e a incentivo. Devemos sempre lutar e nos esforçar para conseguir o que queremos.

– Tenho visto aqui encarnados não filiados em reuniões. Por quê?

– São todos amantes da boa leitura. Aqui vêm porque se afinam com a casa e com seus moradores. Vêm receber incentivos. Esse fato acontece raramente. Nossa preocupação é com os filiados.

– Pode acontecer de, em certas situações, os filiados receberem remuneração material?

– Sim. Temos editoras que são o ganha-pão de famílias. Há empregados de bancas e livrarias que recebem seu salário para sobreviver. Infelizmente, os que fazem só pelo salário fazem como se fosse apenas um trabalho como outro qualquer, esses não são filiados. Os que trabalham com amor, embora tenham a remuneração que necessitam, filiam-se.

– Na A Casa do Escritor estão filiados só os médiuns psicógrafos? E os outros?

O diretor viu com graça minha pergunta.

– Todos os que fazem o bem se filiam ao bem. Todos os que fazem o bem têm possibilidades de se tornarem bons. De fato, a casa trata da parte literária, dos médiuns psicógrafos. Mas os outros médiuns têm também sua proteção. Para começar, quem faz o bem para si faz. Quem faz por merecer conquista seu bom lugar. Os outros médiuns ativos, os que trabalham para o bem, deles mesmos e de outros, têm sempre amigos bons a lhes prestarem a ajuda necessária. Têm também o carinho de todo o centro espírita que frequentam. Está em projeto a formação de uma colônia de apoio a todos os médiuns. Será uma casa móvel como esta, que volitará sobre o Brasil, incentivando todos os médiuns a estudarem e serem úteis no bem.

Não me dei por satisfeita, havia muitas perguntas para fazer. Temi ser inoportuna. Mas amável como sempre ele me incentivou a indagar.

– Pergunte o que quiser, Patrícia, responderei como me for possível.

Não me fiz de rogada e continuei.

– O que acontece com os que vendem bons livros, mas vendem os ruins também?

– Procuramos incentivá-los a ficar só com os bons. Embora o que se entenda por ruim possa ser classificado de várias formas. Devemos analisar de que tipo é a literatura ruim que se vende. Podem ser ruins os livros de péssimo gosto e que não dizem nada de bom, nem de mau. Agora, se forem obras que incentivam o crime, os vícios, as drogas, o sexo, estas são nocivas. Se a pessoa não atender nosso pedido de ficar só com as boas obras, não pode ser filiada.

– Pode um encarnado pedir a um escritor desencarnado que trabalhe com ele?

– Pedir pode, mas para ser atendido tem de ser analisado o seu pedido. Teria esse encarnado condições de ser um instrumento? É médium psicógrafo? Se for, é estudioso? É paciente e perseverante para treinar e afiar sua capacidade? Se as respostas forem positivas, ainda temos que levar em conta se o espírito que pede está disponível e quer. Agora, se o pedido é para qualquer escritor desencarnado, é mais fácil atendê-lo. São poucos os bons escritores conhecidos dos homens, mas muitos os conhecidos de Deus.

Agradeci a esse amigo por tamanha delicadeza em responder a tantas perguntas. Sempre fui grata às pessoas que bondosamente respondiam as minhas indagações em minha ânsia de aprender cada vez mais. E era sempre um enorme prazer participar de tão agradáveis conversas.

Naquela tarde estava eufórica, porque íamos receber uma visita importante para mim, embora todas as visitas que a casa recebe sejam importantes e não se faça distinção entre seus convidados. Mas sempre admirei o visitante daquela tarde, Francisco Cândido Xavier, pela sua dedicação à literatura espírita. Foram horas e horas de trabalho, renúncia e esforço para conseguir escrever tantos livros. Lembrei-me de um dos comentários que Antônio Carlos faz sempre: "O médium é parceiro do escritor. Podemos dizer que escrevem em dupla".

Fiquei a esperá-lo no pátio da frente. Veio com Emmanuel. Fiquei maravilhada.

– Não está tão velho! Parece tão saudável!

Antônio Carlos, que estava a meu lado, sorriu de minhas exclamações.

– Patrícia, nosso perispírito demonstra o que somos na realidade. Às vezes, uma pessoa má tem o físico lindo, mas seu perispírito é feio. E pode ocorrer o contrário. Não que seja o perispírito totalmente diferente do corpo carnal, mas a harmonia e a bondade dão a perfeição. O desequilíbrio e a maldade desarmonizam, deformando. Você olha o Chico e o reconhece, sente que é ele. Sabe que seu corpo está desgastado pelo tempo e pelas doenças, mas seu perispírito, não. Ele é bonito pela harmonia e simplicidade de que é portador. Realmente parece mais jovem. Seu espírito, com o entendimento, irradia ao perispírito saúde e alegria de missão cumprida. Você já viu muitos desencarnados que têm no perispírito fortes reflexos de doenças, velhice e necessidades. Outros, logo que desencarnam, pelo entendimento e merecimento, já têm seu perispírito harmonizado. E, outros ainda, mesmo encarnados, já são desprendidos dessas necessidades. Têm a saúde espiritual porque cultivam o verdadeiro, o eterno, a vivência do bem, do espírito.

Logo que ele chegou, muitos o cumprimentaram. Tentei aproximar-me. Acanhada, fiquei observando-o de perto. Ele andava, eu andava atrás. Para todos tinha uma palavra carinhosa e uma memória incrível, indagava sobre fatos e sobre amigos comuns.

Num momento em que ficou sozinho, criei coragem e me aproximei. Deu-me a mão para um cumprimento e me olhou com muito carinho. Disse-lhe:

– Obrigada, Chico, por você não ter desistido de sua tarefa e ter, junto a tantos escritores, nos legado livros maravilhosos. Particularmente, esses livros muito me ajudaram e ajudam tantas pessoas.

Ele sorriu e indagou:

"Faz algum curso na casa?"

– Sim, estou me preparando para ditar aos encarnados.

"Você, então, acha que fiz algo de bom? Que faço?"

– Acho, sim.

"Faça então como fiz!"

Passou a mão delicadamente pelos meus cabelos e, sorrindo, concluiu:

"Que os bons exemplos sejam seus objetivos. Que o Pai a abençoe!"

Emocionei-me tanto que senti os olhos lagrimarem. Outros companheiros se aproximaram e ele sempre atencioso voltou-se para lhes dar atenção.

Todos fomos convidados a ouvir uma palestra. Humberto foi o orador. Como sempre, o assunto foi a literatura. Falou das dificuldades em se fazerem bons livros. Que atualmente muitos bons escritores estavam desencarnados. E que nem todos podiam usar da psicografia por falta de bons médiuns, de instrumentos que fossem dedicados e corretos. Para fazer bons livros é necessário coragem. Materialmente está difícil e infelizmente se vende pouco. Mas terminou incentivando todos ao bom ânimo e ao trabalho incessante. Não discursou muito. Após convidou Chico a falar. Sorrindo sempre, o conhecido espírita e médium levantou-se e, diante de todos, disse poucas palavras.

"Irmãos, que Jesus esteja em nossos corações! O que Humberto disse veio muito a calhar nos acontecimentos atuais. Necessitamos de bons escritores encarnados e de médiuns que aceitem a tarefa fiel de intermediários. Médiuns sem vaidade, que trabalhem com boa vontade e que não tenham pressa de editar, logo que comecem a psicografia. Há necessidade de se fazer um treino e de estudar a Doutrina e as obras de Kardec. Que não fiquem com medo de fazer, nem com desânimo. Nem pensem que não vale a pena. Este trabalho não dará frutos materiais, mas, sim, espirituais. Reunidos aqui, pensemos na necessidade de trabalhar sempre. Se estiverem encarnados, que se voltem ao estudo com seriedade e dedicação. Nada se faz de um dia para o outro. Aos desencarnados, incentivo-os a encarnarem e a se dedicarem, no plano físico, à literatura espírita edificante. E que também se preparem para ser médiuns psicógrafos."

Fez uma pausa e um dos ouvintes indagou:

– Chico, acabei um curso que me preparou para ser médium psicógrafo quando estiver encarnado. Tenho medo de perder-me, acho que não serei capaz de dedicar-me tanto, de renunciar aos prazeres da matéria para dedicar-me ao treino, ao trabalho, aos livros. Que me diz? Sei que sua existência encarnada não tem sido fácil.

"Também não é difícil. Não me sacrifiquei. Quando se faz o que se ama, tudo é mais fácil, é nosso prazer. Fui e sou muito feliz. Ganhei mais do que imaginava. A tranquilidade e a paz que sinto são altíssima recompensa. A amizade de que sou portador não tem preço. Ame, tente amar mais, e irá fazer o que planeja. Ame e tudo ficará mais fácil."

A reunião acabou com uma linda prece.

Foi uma noite memorável.

Capítulo 9

No umbral

Foram inúmeras as excursões que fizemos ao umbral, em grupo ou sozinhos, com a finalidade de auxiliar e, também, colecionar histórias que iríamos escrever nas aulas de redação.

Depois de tanto tempo desencarnada, acostumei-me com o umbral, não tinha mais medo nem me parecia um lugar horrível, como achei nas primeiras vezes que estive lá. O medo não tem razão de ser, quando entendemos que lá estão nossos irmãos. É um lugar feio, é uma das consequências da vivência errada do ser humano. E, pelas minhas recordações, já havia sido meu lar provisório em existências anteriores.

Conversas com grupos de lá são difíceis. Ou eles nos atacam ou querem que façamos parte da equipe deles. Assim, dirigíamo-nos aos isolados ou agrupados pelo sofrimento. Chegávamos com educação e oferecíamos ajuda de modo sutil. Por exemplo:

– Você deseja que o ajude a sentar-se aqui? Quer água? Dê-me sua mão para sair daí.

Porque, senão, querem logo coisas impossíveis: que os ajudemos a se vingar, a ficar perto dos encarnados, a se tornarem fortes para serem maiores etc. Mas encontramos sempre os carentes de ajuda e dificilmente, nessas excursões, não voltávamos com muitos socorridos que encaminhávamos ao posto de socorro mais próximo.

Quando sozinha, sempre dei preferência aos que me pareciam sofredores e mais humildes. Deles me aproximava e começava a conversar; facilmente lia seus pensamentos e ficava sabendo da vida deles. Isso não era feito só pela história que escreveria, mas também para ajudar. Como uma vez em que encontrei uma mocinha presa numa caverna. Tirei-a de lá e fomos nos sentar em uma pedra, a uma pequena distância do lugar em que estava presa.

– Por que está presa? Não quer me falar de você? – disse, mostrando-lhe amizade e dando-lhe água fluidificada que trazia comigo. Tomou a água com a ânsia dos sedentos, olhou-me demoradamente e indagou:

– Quem é você? Tirou-me da caverna, não teme meu carrasco?

Falava bem, mostrando ser instruída. Estava com os cabelos desalinhados, armados, que vinham até o ombro. Magra e com as roupas em farrapos. Tinha alguns machucados.

– Não tenho medo. Deixe-me passar esta água em seus ferimentos.

Ela deixou, submissa. Passei e, com a força da minha mente, fui curando-a.

– Puxa! Você é espetacular! Está me curando!

Quase todos seus ferimentos fecharam.

– Você não quer conversar comigo?

– Desencarnei há doze anos, aos trinta e sete anos. Logo que deixei o corpo morto, esse carrasco me pegou e me prendeu. Foi, e é horrível!

– Que fez a ele para mantê-la assim? – indaguei.

– Nada de mais. Quando encarnados fomos amantes, mas ele era casado. Resolvi abandoná-lo, mas ele não se conformou e começou a beber. Culpa-me por muitas coisas ruins que lhe aconteceram. Ama-me e me odeia; prendeu-me por ciúme e por não amá-lo.

Bem, se eu não tivesse lido seus pensamentos e soubesse só uma parte da história, a que ela me contou, pensaria ser este fato algo tremendamente injusto. Mas, por aqui, não há injustiça. Socorristas estão sempre pelo umbral, ajudando os que estão prontos a vibrar de maneira diferente.

A história que li nos pensamentos dela foi outra. Ela era volúvel e má, conseguiu conquistar um homem casado, bom esposo e ótimo pai. Acabou com tudo o que ele tinha financeiramente e queria que ele abandonasse a família. Ele não quis e largou dela. Ela planejou vingar-se. Até que um dia conseguiu envenenar a água da família dele. A caçulinha de três anos desencarnou envenenada. Outra filha de cinco anos ficou com a laringe e a língua danificadas, e quase não conseguiu mais falar. Ele, a esposa e outro filho sofreram pequenas intoxicações. Desconfiaram dela, mas não tiveram como provar. Sua esposa o acusou por isso e foi embora com os dois filhos para a casa de seus pais. Ele pôs-se a beber e virou um farrapo humano. Quis voltar para ela, que não o quis, pois ele não tinha mais nada. Para ter dinheiro, foi roubar e acabou preso, desencarnando na prisão. Ela ainda cometeu muitos outros erros. Ele, o carrasco, como o chamava, esperou que ela desencarnasse para vingar-se.

– Você não contou toda sua história – disse-lhe. – Não lhe pesa na consciência a morte de um inocente? Por que envenenou a água da família dele?

– Como sabe disso? É bruxa? Lê o pensamento? Está aqui para me acusar? – Levantou-se e respondeu enérgica, deixando cair a máscara de humildade.

Respondi calmamente:

– Não, só tento ajudá-la. Mas, para que possa auxiliá-la, deve arrepender-se dos seus erros e repará-los.

– Está louca? Nunca repararei nada. Fiz e está feito! Mereceram! Não quero conselhos. Você me é desagradável. Odeio você! Odeio todos!

Saiu correndo. Não fui atrás. O umbral, por enquanto era o melhor lar para ela. Talvez seu carrasco não mais a encontrasse. Ele também necessitaria reconhecer sua parte na culpa, pois traiu a esposa e se uniu a quem não prestava. Também deveria perdoar e tentar reparar sua falta com os membros de sua família. Ela era fingida, queria piedade sem mudar sua forma de pensar. Espíritos assim num local de socorro só aprontam confusões. Por isso os socorristas do umbral têm de saber a quem socorrer.

Uma outra vez vi um senhor não muito velho, mas com os cabelos quase todos grisalhos. Estava sujo e com as roupas em farrapos. Usava uma bengala e arrastava a perna esquerda, que estava inchadíssima e cheia de feridas.

– Bom dia! Como vai o senhor? – indaguei gentilmente.

Ele parou, sentou-se numa pedra e me convidou com a mão a fazer o mesmo, respondendo:

– Bom dia! Estou bem mal. A perna me dói horrivelmente. Tinha a ferida quando encarnado e agora, mesmo com meu corpo morto, ainda sofro com ela.

– Por que ela está assim, ferida e inchada? – indaguei.

– Porque Deus assim quer.

Enquanto falava, li seus pensamentos. Vi que ele desde jovem, embora sadio, esmolava. Fingia-se de doente, enfaixava a perna para provocar pena nas pessoas. Muitas vezes, chegou a cortar, ele mesmo, a perna para que os ferimentos fossem autênticos. Desencarnou devido a esses machucados, que infeccionaram. Quando viu que o observava, deixou de ser educado.

– Quem é você, minha jovem? Alguma boboca que vem me dar sermões? Dizer que devo perdoar, pedir perdão? Não faço nada disso! Nada tenho a pedir perdão.

– Nem por pedir esmolas, fingindo-se doente?

– Ora, ora! As pessoas me deram esmolas porque quiseram. A perna é minha e uso-a como quero. Pedia esmolas em nome de Deus. E cadê Ele?

Levantou-se e com dificuldade foi andando e arrastando a perna. Levantei-me também para tentar dialogar com ele.

– Vê se não me amola!

Cuspiu-me. Foi andando blasfemando, dizendo que nada fizera de errado. Achando que no momento era inútil tentar ajudá-lo, voltei, deixando-o ir não sei para onde. Devo explicar que a cuspida que ele deu não me atingiu. Depois que estudamos e aprendemos como viver no plano espiritual, objetos de irmãos com vibrações inferiores não nos atingem.

– Ai... Ai...

Escutei um dia, em uma das minhas visitas pelo umbral. Parei para ver de onde vinham tão doloridos ais.

Achei. Vinham de uma lama. Deitado no barro um espírito gemia tristemente. Peguei-o pela mão e retirei-o da lama. Vi que se tratava de uma mulher. Estava nua, toda suja e cheirando mal.

– Não me olhe, estou sem roupa – disse ela com dificuldade.

Tirei da minha mochila um lençol e enrolei-a. Todas as vezes que íamos ao umbral, levávamos nossa mochila nas costas. Nela, havia alguns apetrechos que sempre utilizamos, como lençóis, água, alimentos, lanternas, cordas etc.

– Tão limpo! Sujou-o todo.

– Não faz mal. Quer água?

– Limpa? Quero sim.

Peguei a água e joguei um pouco sobre seu rosto e mãos limpando-os um pouco, depois dei para que bebesse. Bebeu com avidez, devolveu-me o cantil e tentou sorrir, mas acabou fazendo uma careta.

– Obrigada!

– Por que você está aqui? Você não se lembra de Deus? De orar?

– Não senhora. Não posso orar, sou pecadora. Meu lugar é na lama. Acho que devo voltar.

– Espere um pouco. Converse primeiro comigo.

– A senhora não se importa? Sou pecadora!

– Não me importo. Está com fome? Coma este pão.

Ofereci-lhe um pão, que pegou depressa e pôs-se a comê-lo. Coloquei minha mão em suas costas e ajudei--a, sem que percebesse, a andar até uma pedra para que pudéssemos sentar. Enquanto comia, li seus pensamentos. Quando acabou de comer, agradeceu novamente.

– Não quer me contar o que houve com você? – indaguei.

Olhou-me tristemente, e agora mais refeita, falou:

– Era adolescente quando comecei a namorar e fui para a cama com ele. Mas ele não queria nada sério. Foi embora, arrumei outro, mais outro. Meu pai descobriu e me expulsou de casa dizendo: "Vai embora maldita! Vai para a lama, que é o seu lugar". Temi sua ira e pedi: Pai, pelo amor de Deus, não me expulse! "Não pronuncie o nome de Deus, você não pode, não deve, é impura demais." Fui para a prostituição. Meu pai logo veio a falecer de desgosto. Então, nunca mais rezei ou falei o nome desse aí, que você me perguntou.

– Deus?

– Sim, não sou digna e, como meu pai falou, vim para a lama. Penso que aqui é o meu lugar.

– Não se arrependeu do que fez?

– Arrepender como?

– Se tivesse que voltar atrás, agiria diferente?

– Não sei... Não sei... Que fiz de errado? Cada um não nasce com o seu destino marcado?

Estava sendo sincera, acreditava que tinha nascido para ser uma prostituta. O que não é verdade. Ninguém reencarna para errar. Apiedei-me.

– Venha comigo. Você irá aprender muitas coisas. Por exemplo, que Deus é amor e quer bem a todos os Seus filhos. Você é filha Dele. Não se envergonhe em pronunciar Seu nome. Orar lhe fará bem. Não, minha irmã, a lama não é lugar para ninguém. Venha comigo!

– Será que devo mesmo? Meu pai ficará zangado.

– Não, seu pai não ficará. Você necessita de auxílio.

Levei-a para um posto de socorro lá perto, eu mesma a limpei, cortei seu cabelo, suas unhas, alimentei-a e a deixei dormindo. Fui muitas vezes visitá-la. Era obediente, mas no começo, mesmo gostando demais de ficar no posto, queria voltar para a lama, onde dizia ser seu lugar. Foi com dificuldade que pronunciou o nome de Deus e reaprendeu a orar. Muito tem de aprender. Foi com alegria que um dia, ao visitá-la, encontrei-a ajudando na limpeza.

Muitos fatos vemos no umbral que nos comovem, mas nem sempre a aparência de mártir é real. Muitos presos que soltamos, em vez de nos agradecerem, odeiam-nos e dizem blasfêmias. Quando vemos escravos, a vontade que nos dá é de soltá-los, mas quase sempre são escravos por afinidade com seus algozes. Soltos, mostram a revolta e querem que os ajudemos a vingarem-se. Sabemos que esses, infelizmente, são os mais necessitados, mas pouco podemos fazer. Levar espíritos revoltados para um socorro é imprudente. Só se pode dar auxílio aos que querem ser auxiliados. Mas, mesmo se não podemos socorrê-los, ao conversar e dar-lhes conselhos, lançamos uma semente e quem sabe um dia florescerá, como arrependimento e vontade de mudar.

O umbral nos leva a meditar na imensa bondade do Pai, que nos deu um local provisório para morar. Aprendi a amar o umbral e tudo que há nele, especialmente aqueles meus irmãos que ali vivem.

Capítulo 10

Trabalhando com a equipe

A casa amanheceu em festa. Muito mais flores e convidados deram-lhe um brilho todo especial. Um dos moradores ia reencarnar. Isso mesmo! Fausto, um ativo trabalhador da casa, ia vestir um corpo carnal. Estava no pátio recebendo abraços, incentivos e votos de êxito. Participei da festa, embora o conhecesse há pouco tempo. Ele é simpático, inteligente e muito sorridente. Estava contente com a demonstração de carinho, embora, às vezes, leve preocupação brilhasse em seus olhos.

Ficou o dia todo rodeado de amigos, passei a fazer parte da roda, e o escutávamos com prazer.

– Meus futuros pais são filiados da casa. Donos de uma pequena editora espírita, lutam para mantê-la e ampliá-la. Terei uma irmã e um irmão, ambos lindos e amigos. Vou reencarnar esperançoso!

– Conseguirá vencer, amigo! – disse-lhe um dos companheiros. – Conseguirá fazer o que planeja!

– Preparei-me muito. Fiz cursos, trabalhei aproveitando todo o meu tempo. Sinto deixar a casa, amo-a tanto. Mas será por tempo determinado. A ela voltarei, se Deus quiser. Vou confiando na ajuda de muitos amigos. Continuo filiado à casa. Espero fazer tudo o que planejei e contribuir, encarnado, em prol da boa literatura.

Antônio Carlos estava conosco, e afastei-me com ele alguns passos do grupo, para perguntar:

– Ele continuará filiado à casa?

– Sim.

– E se ele vier a falhar, encarnado, o que acontecerá? Ele preparou-se para se dedicar à literatura espírita, e se as dificuldades o levarem a outras atividades, continuará filiado?

– Quando criança e adolescente, receberá nossa atenção como filiado que é. Na fase adulta, os cuidados serão redobrados. Terá apoio e incentivo para fazer o que lhe cabe por escolha. Mas ele terá seu livre-arbítrio, poderá se envolver em outras atividades e não fazer o que se propôs. Depois de muitas tentativas de nossa parte para chamá-lo à realidade, se ele recusar, a casa retirará sua ajuda. Mas ficará sempre como amigo. Porque ele os fez. Quanto à filiação, no caso dele, que muito trabalhou pela casa, ficará cancelada, mas poderá voltar quando quiser.

– Isso já ocorreu? Alguma filiação foi cancelada?

– Infelizmente, sim.

– Acho que é porque nem todos se preparam para reencarnar, não é?

– Sim. Infelizmente não acontece com mais frequência do que deveria ser. A preparação se dá com uma pequena parte. Vemos milhares de reencarnações ocorrerem todos os dias e uma pequena fração somente recebe preparo. Lembro-lhe que o livre-arbítrio é respeitado. O desencarnado também tem sua vontade. A reencarnação é oportunidade para todos. Quem gosta de aprender, o faz encarnado ou desencarnado. Esse preparo inclui estudos, dedicação e nem todos estão dispostos a isso. Patrícia, mesmo espíritos com dom literário não aceitam o ensino da casa. Tanto que vemos vários escritores talentosos escrevendo muitas barbaridades.

– Antônio Carlos, outro dia conversei com um visitante desencarnado que está em outra colônia estudando e trabalhando. Veio aqui conhecer e inscrever-se em cursos da casa. Disse-me que cometeu muitos erros no campo literário. Que se via num terreno só de plantações ruins. Plantou muitas coisas más. A colheita o incomodou. Pensou: se me dedicar só à colheita, não terei tempo para mais nada. Mas os ensinos que recebeu no plano espiritual o incentivaram. Não precisaria necessariamente colher da plantação ruim. Pelo trabalho no bem, ele poderia limpar seu terreno e plantar boa semente. E evitar a colheita ruim. O que acha disso?

– O que você pensa que sua tia Vera e eu fazemos? Pelo trabalho estamos "roçando" a plantação ruim. Mas pelo trabalho, realmente. E, mesmo assim, ferimo-nos tantas vezes com os espinhos. Se fizermos o trabalho todo, evitaremos a má colheita. Nos pedaços limpos, já plantamos a boa semente que germina. A boa planta nasce com amor e nos sustentará na luta com sua colheita bendita. Patrícia, se todos trocassem a colheita ruim pelo trabalho no bem, pela transformação interior para melhor, a colheita de dores e sofrimentos sumiria da Terra.

Voltamos nossa atenção ao Fausto, que recebeu amigos o dia todo numa demonstração de confraternização e carinho. À noite, ele partiu, ia para o Departamento de Reencarnação, numa colônia de socorro. Partiu feliz e confiante. Desejei ardentemente que tivesse êxito em seus propósitos.

Durante o tempo em que estive na A Casa do Escritor, vi algumas reencarnações. Todos com muitos incentivos e esperando realmente que cumprissem o que planejaram.

A equipe fora chamada para dar assistência na desencarnação de um dos filiados. Fui, feliz.

O amigo prestes a desencarnar estava doente, hospitalizado. Já há alguns dias um companheiro da casa o acompanhava, também estava com ele o companheiro, desencarnado, de muitos anos de trabalho. Chegamos ao local e fomos cumprimentados pelos amigos desencarnados. Agora éramos cinco. Nosso companheiro que há dias estava com ele nos informou:

– Nosso amigo piora. Sente a desencarnação e está tranquilo. Nestes dias eu o intuí para que deixasse seus assuntos em ordem. Atendeu-me, organizou papéis, tudo o que um encarnado tem que deixar certo para facilitar a vida dos familiares.

– Tem dores? – indaguei.

– Sim, tem tido. Mas não reclama.

– Ele não poderia ficar mais tempo? – indaguei novamente. – Faz um trabalho tão bonito e não está velho.

– Ele mesmo, antes de reencarnar, marcou o tempo de sua desencarnação. Está indo na data certa. De fato, fez um trabalho lindo, isso justifica nossa presença ao seu lado.

Não tardou a ter outra crise. Familiares encarnados e o médico atenderam-no solícitos. Nosso trabalho de desligamento começou tão logo seu coração parou. Ele adormeceu, nada sentiu ou viu. Horas depois, nós o levamos para uma colônia de socorro e o deixamos bem instalado num quarto. Ali, a equipe da colônia, do hospital, cuidaria dele. Seu companheiro[6] iria ficar com ele e acompanhá-lo nos primeiros passos como desencarnado.

– Quando estiver bem irá para A Casa do Escritor? – indaguei.

– Dependerá de sua vontade, mas este amigo é amante da literatura, creio que continuará a trabalhar com ela.

– Que bonita a desencarnação de pessoas vitoriosas em suas tarefas! De pessoas boas! – exclamei.

Mas tivemos o caso de um filiado que não queria a desencarnação. Estava revoltado com os familiares e com os assuntos financeiros. Cumpriu pela metade a tarefa a que se propusera. Sua desencarnação foi mais dolorosa, porque se esforçou para não se desligar. Mas o corpo morre e o espírito tem que abandoná-lo. Fizemos com que adormecesse com passes e o desligamos. Foi, depois, levado para um posto de socorro. Cabia a ele aceitar ou não o socorro oferecido.

– Se ele não aceitar? – indaguei a um dos meus companheiros de equipe.

– Poderá voltar para o lado da família ou vagar. Mas como fez muitos amigos, tanto encarnados como

---

6. Guia, protetor, o desencarnado que trabalhou com ele na tarefa do bem. (N.A.E.)

desencarnados, não ficará desprotegido. Os amigos encarnados pedirão por ele e os desencarnados irão até ele oferecer ajuda. Ele é uma boa pessoa, inteligente, saberá definir o que lhe é bom.

Curiosa, indaguei ao meu companheiro:

– Flávio, muitos dos filiados são ativos em outras áreas também. Muitos, além de se dedicarem com carinho ao livro espírita, são médiuns trabalhadores em centros espíritas. Outros trabalham em áreas sociais. Quando desencarnarem, quem virá ajudá-los?

– Como é bom fazer e ter amigos. E ter quem nos ajude nesse momento importante, que é a desencarnação. Isso ocorre realmente. Há filiados que trabalham ativos em outras áreas. Bem, quanto a quem irá ajudá-los na desencarnação, dependerá dele e do seu companheiro desencarnado. O importante é ter perto bons amigos na hora do desligamento. Depois ele escolherá a atividade que irá cultivar.

Fomos chamados para auxiliar na desencarnação de uma filiada diferente. Não era espírita. Por muitos anos, dedicou-se à boa literatura, a infantil, e com muito carinho. Sempre se esforçou para passar nos seus livros a boa moral. Como teve uma religião que não explica o que seja a morte do corpo, temia a desencarnação e isso dificultou nosso trabalho. Por dias, ficamos a acalmá-la com passes.

Desencarnou tranquila e foi levada para uma colônia. Certamente iria estranhar, mas como era inteligente e boa, acreditávamos que logo estaria bem. Quanto à sua ida à A Casa do Escritor, se quisesse, demoraria, porque antes necessitaria aprender muito e adaptar-se à nova vida.

A equipe da casa estava sempre alerta aos pedidos de ajuda a quem lida com livros espíritas. Com carinho especial auxiliam feiras, bancas e editoras.

Iria acontecer uma Feira do Livro Espírita importante. Era a primeira que o grupo realizava. Fomos convidados a participar, para incentivar e protegê-los, porque a equipe do umbral, da região, estava furiosa com o evento e prometia tumultuar o local. Mas tudo deu certo. Durante a feira, uma equipe da casa ficou o tempo todo nas barracas, e foi um sucesso. Os irmãos do umbral bem que observaram de longe. Foram convidados a aproximar-se para ver melhor. Uns vieram, mas a maioria foi embora ou ficou olhando de longe. Os que vieram, olharam os livros e conversaram, muitos pediram socorro. No final, os organizadores da feira ficaram felizes e nós também. A Feira do Livro Espírita é sempre uma distribuição de bens, de ajuda e de instrução, que leva muitos a procurar caminhar rumo ao progresso.

Vou também muito ao centro espírita que minha família frequenta. Que grande aprendizado é para o desencarnado trabalhar num centro espírita. Com os problemas diários que surgem, a ajuda é constante tanto a encarnados como a desencarnados necessitados.

Artur, companheiro desencarnado de trabalho de meu pai, é meu grande amigo. Está sempre sorrindo, é muito instruído e inteligente. Gosto de vê-lo em atividades no centro espírita. Representa para mim um exemplo a ser seguido. É querido por todos. Há tempo observava-o e pensava: "Será que Artur tem uma história interessante? Que acontecimentos o teriam levado a ser tão dedicado?"

Numa tarde em que o centro espírita estava com pouco movimento, e isso acontece raramente, os trabalhadores conversavam no pátio. Cheguei ao salão onde se realizavam os encontros de encarnados e desencarnados. Entrei devagarinho e vi Artur diante de um quadro que retrata o Mestre Jesus. Estava distraído, encantado, seu rosto sereno irradiava harmonia e amor.

– Oi, Artur, atrapalho?

– Não, menina Patrícia. Deseja algo? – disse sorrindo e olhando para mim.

– Lindo quadro! Ama muito Jesus, não é?

– Sim.

– Teria ocorrido com você um fato especial para amá-Lo assim?

– Só por ter nos deixado tantos ensinamentos maravilhosos seria o bastante para que todos O amássemos. Mas você tem razão, existe algo particular entre Jesus e mim.

– Posso saber que fato é este? – perguntei.

Sentei numa cadeira, convidando-o com a mão a sentar-se a meu lado. Ele o fez.

– Você está me saindo uma caçadora de histórias...

Rimos.

– Há muito tempo, Patrícia, fui um espírito rebelde, zombava de tudo e de todos, só pensava em prazeres e em mim da forma mais egoísta possível. Era terrível, encarnado, e horroroso quando desencarnado. Uma vez, desencarnado, uni-me a um grupo de espíritos afins, formamos uma legião para obsediar uma pessoa. Tudo estava bem para nós, que judiávamos do pobre encarnado numa farra. Devo dizer que, para ser obsediado, o encarnado vibrava igual a nós, e tudo o que sofria tinha como consequência uma má colheita. Tudo corria bem, quando nos vimos numa enrascada. Senti-me preso, sem poder me mover, e assim também todos os outros companheiros. Só ouvíamos e víamos o que acontecia. Uma força maior, muito grande, nos prendera. Estávamos cercados por várias pessoas, umas encarnadas e outras desencarnadas. Mas essa força que nos prendia fazia-nos tremer e, ao mesmo tempo, nos maravilhava, vinha de um encarnado. Esse homem fenomenal colocou a mão sobre a pessoa que obsediávamos e disse: "Tua fé te salvou!" Olhei para o encarnado e vi uma imagem humana de rara beleza e tranquilidade. Nunca vira pessoa assim. "É Jesus!" – disse um dos encarnados que o acompanhava. "É Ele, Jesus, o Nazareno, que curou este homem!" Jesus me olhou com profundo amor e não me condenou: amou-me. Seu olhar meigo e bondoso me olhando é um fato nunca esquecido. Fomos afastados de perto daquele obsediado, por uma equipe desencarnada, e levados para um posto de socorro. Lá, orientaram-nos para o bem. Mas éramos livres para ficar ou não. Se voltássemos, estávamos proibidos de nos aproximar do ex-obsediado. A maioria ficou; e eu fiquei também e fiz um voto de me modificar. Nunca esqueci que por momentos vi Jesus. Esse encontro ficou forte em mim. Depois de um preparo, reencarnei. Não foi fácil a minha luta. Tinha muitos vícios e maus costumes, com uma colheita bem amarga. Reencarnei muitas, muitas vezes, nestes quase dois mil anos, sempre procurando melhorar. A imagem do meu encontro com Jesus vinha de modo vago quando estava encarnado. Sempre, na carne, gostei de olhar imagens, quadros do Mestre Nazareno; tinha sempre uma saudade sem entender o porquê. Quando desencarnado, lembrava-me do ocorrido, e este fato sempre me deu forças para melhorar e progredir. Nosso encontro marcou-me muito, tanto que memorizo e a cena, com todos os detalhes, me vem à memória. Posso ainda sentir seu olhar de amor. Nessas minhas romagens pela Terra fui sacerdote católico, pastor protestante, sempre tentando seguir Jesus. Muitas vezes me enganei. Mas, nas recentes encarnações melhorei realmente e na última é que encontrei a Doutrina Espírita, quando entendi melhor os ensinamentos do Mestre Jesus. Tento, Patrícia, somente seguir seu exemplo. Amo meu trabalho junto aos nossos irmãos que estão nas trevas da ignorância, que temporariamente estão entrelaçados no erro, com o mesmo amor com que Jesus me olhou por segundos.

Abracei-o. Não conseguimos falar mais nada. Entendi. Todos nós temos nossa história e, quem sabe, um fato particular que nos leva ao amor.

Capítulo 11

Excursões

Fizemos muitas excursões a várias colônias, e uma que me encantou de modo especial, por parecer com A Casa do Escritor, foi a colônia que se dedica à Música e à Pintura. É lindíssima, móvel, tem também muitos filiados por todo o Brasil. Seu trabalho assemelha-se ao nosso. Tentam auxiliar sempre os que se dedicam à arte musical e à pintura. É rodeada por lindíssimas árvores e flores. Por toda a colônia vemos quadros famosos, cópias ou originais. Há muitos salões dedicados à música. A biblioteca e as salas de vídeos são sobre os assuntos com que se trabalha na colônia. Fomos brindados com lindas músicas, num dos seus salões, e foi emocionante ter visto lindos quadros.

Em todas essas colônias, como também nas de estudo, fala-se muito o esperanto. É muito agradável: o som das palavras é suave e harmonioso. Aqui se incentiva bastante a aprendizagem dessa fabulosa língua.

Partimos para ver na Terra o trabalho de encarnados com a literatura. Ou seja, tudo o que se escreve. Assombramo-nos com o número de revistas de fofocas e eróticas, com sua quantidade e preços altos. Fomos visitar suas editoras, lugares de trabalho como outro qualquer. São sempre visitados por uma equipe da A Casa do Escritor, como a nossa, com os oito alunos e Maria Adélia. Depois de examinarmos tudo, passamos a observar os que lá trabalham. Pessoas normais, outras inteligentes, que ali estavam pelo salário. Algumas, sendo influenciadas por espíritos bons ou maus. Muitos espíritos bons ali trabalham, como ia tentar fazer nosso companheiro José Luiz; procuram intuir as pessoas para que escrevam artigos bons. Outros espíritos, maus, ali permaneciam para guardar o território, que de fato era mais deles do que nosso. Costumam intuí-los a escrever mais fofocas e maledicências. Nenhum deles obsedia por esse motivo, só tentam intuí-los. Tudo estava calmo. Nessas revistas, que têm como objetivo assuntos banais, nosso trabalho é difícil, às vezes, impossível. Tanto que a maioria das visitas são apenas de reconhecimento e aprendizagem. Para que pudéssemos observar mais, Maria Adélia se fez visível à equipe de trevosos que ali estava. Eram espíritos maus, porém instruídos. Logo um deles veio conversar com ela.

– Olá, boneca! O que quer? Deseja ficar conosco? Você é uma beleza!

Mais três a cercaram, e todos se puseram a examiná-la, rindo.

– Estou só observando o local – respondeu nossa instrutora. – O que fazem aqui?

– Podemos dizer que trabalhamos aqui. Veja esta matéria, foi inspirada por mim – disse um deles com orgulho, mostrando uma reportagem. Era uma matéria muito erótica. Maria Adélia deu uma olhada.

– Mas consta só o nome do encarnado na reportagem – disse ela.

– Isto é que incomoda! Mas não faz mal. O prazer é o mesmo.

– Tem chefe? Obedecem alguém? – indagou Maria Adélia.

– Você é intrometida! Pergunta demais. Temos, sim, uma organização. Se você quiser fazer parte, podemos dar um jeito, uma ajuda. Sabe escrever? Digo, fazer reportagens? Você tem cara de inteligente. Só que está muito mal vestida. Parece beata!

– Sei escrever, sim. O trabalho é difícil?

– Aqui é bem fácil. A parte difícil é quando somos mandados a atrapalhar pessoas que fazem outro tipo de escrita. A literatura espírita, por exemplo.

– Vejo tão pouco coisas que dizem ser boas no mercado, por que se preocupam com isso?

Quem respondia era um deles, o mais orgulhoso e arrogante.

– Vejo que a menina entende disso. É verdade, mas há os teimosos que escrevem tentando ensinar a boa moral.

– Venha cá, me dá um abraço – disse um outro tentando agarrar Maria Adélia.

Minha mestra se fez invisível a eles.

– Sumiu a garota! Que pena! – disse o que ia abraçá-la.

– Ou ela não gostou de você ou deve ser uma abelhuda do Cordeiro. Não sei o que veio fazer aqui – resmungou um outro.

Assim, de forma parecida, fomos a muitas editoras e encontramos sempre um espírito bom que lá trabalha. Se eles acham difícil atrapalhar os bons, nós achamos difícil ajudar esses encarnados. Alguns até querem mudar, mas os objetivos desses escritos são outros, e é o que dá vendagem, infelizmente. Vivem do comércio.

– Essas pessoas estão se comprometendo com esse trabalho? – indagou Osvaldo à Maria Adélia.

– Tudo o que fazemos, destruindo, cabe-nos a reconstrução. Mas depende de cada caso. Algumas pessoas aqui estão pelo salário, outros gostam do que fazem. Aquele que grafa seus pensamentos em escritos ruins que venham prejudicar a outros é responsável por eles. Mas a maioria são escritos de péssimo gosto somente, não faz mal nem bem. Lembro a vocês que essa literatura existe porque tem quem a consome. Fazem e vendem.

Vimos uma pessoa, um escritor, escrevendo fatos ruins. Estava obsediado por uma entidade horrível. Notamos que a entidade o influenciava de forma bem acentuada, fazendo-o escrever besteiras, melhor dizendo, de forma ruim. Novamente, Maria Adélia fez-se visível ao obsessor para conversar, para que pudéssemos entender alguns fatos.

– Oi – disse Maria Adélia.

– Olá.

– Você está trabalhando com ele?

– Estou, o que você tem com isso?

– Nada. Só que acho que ele escreve tão mal!

Diante desta observação, ele sorriu satisfeito. Ficou mais amável.

– Você acha? Que bom!

– Pensei que ia zangar-se, vejo-os trabalhando juntos.

– É para isso que estou aqui. Para fazer ele trabalhar mal, escrever besteira que ninguém editará.

– Vinga-se, por acaso?

– Sim. Quem é você? Pergunta demais.

– Sou só uma pessoa que gosta de ler. Estava passando e li a bobeira que ele escreveu. Só isto. Adoro histórias. Fiquei curiosa. Como pode você um cara tão inteligente, pois vê-se logo que é um intelectual, ficar perto deste boboca.

Riu contente e respondeu.

– Você tem razão. Sou inteligente e instruído. Escrevo muito bem. Quero que ele se afunde. Merece!

– Não quer me dizer o que houve? Você fala tão bem!

Maria Adélia, lendo os pensamentos dele, viu que era vaidoso, incentivou-o para que falasse, para que pudéssemos ouvi-lo e tentar ajudá-lo.

– Está bem. Vou falar só porque você soube reconhecer que sou inteligente. Sou filho único e minha mãe viúva deu um duro danado para que fosse estudar. Meu sonho era ser jornalista ou escritor famoso. Tinha um amigo com os mesmos desejos. Um dia, apareceu uma oportunidade: um jornal fez um concurso e o vencedor iria ter um emprego de jornalista. Entusiasmado, fiz uma matéria genial. Este cara também. No dia de entregar, minha mãe ficou doente e pedi a ele que entregasse minha matéria. Confiei. Mamãe melhorou e esperamos aflitos o resultado. Ele ganhou. Alegrei-me por ele. Mas, ao ver a matéria que ele apresentou, estremeci. Era a que eu havia escrito. Só com algumas pequenas modificações. Fui até o jornal e constatei que minha matéria, a com o meu nome, não fora entregue. Ele me enganou. Pegou a minha e a entregou como se fosse dele. Odiei-o. Fui atrás dele tirar satisfações. Recebeu-me com ironias. Disse-me que foram suas modificações que o fizeram ganhar o concurso. Riu de mim por confiar nele. Não tinha como provar sua culpa. Louco de raiva, avancei sobre ele e brigamos de murros e socos. Fomos separados, e ele foi embora rindo. Entrei num bar e bebi. Não estava acostumado a beber e embriaguei-me fácil, saí para a rua, fui atropelado e desencarnei. Minha mãe sofreu muito, e eu vaguei sem rumo por anos, culpando-o por todos os sofrimentos. Minha mãe desencarnou, mas os bons a levaram, e não pude nem falar com ela. Um dia soube que, no umbral, havia uma escola para aprender a vingar-se. Fui até lá, contei minha história e fui aceito. Aprendi fácil. Agora vingo-me desse safado. Ele não terá mais glória, porque faço com que escreva só porcaria. Alegro-me com seu desespero, ao ver rejeitados seus trabalhos. Então, garota, vê como tenho razões?

– Você não sofre aqui? Não gosta do ex-amigo e fica perto dele dia e noite. Não seria melhor ir para um bom lugar, talvez junto de sua mãezinha? – disse Maria Adélia risonha e gentil.

– Qual é "meu"? Por não gostar dele é que estou aqui, para vingar. Quanto à minha mãe, ela que venha para perto de mim.

– Por que você não analisa os acontecimentos de outra forma? Pela lei das reencarnações, você teria que desencarnar jovem. Por má colheita, teria que sofrer uma traição.

– Você começa a me enfurecer. Sei bem que já vivi outras existências, meus erros do passado pouco me importam e acho que não têm nada a ver com o que passo. O que importa para mim é o que faço no momento. Vingo-me dele, porque ele merece. Pensa que ele é bom? Nada faz que sirva, e só pensa nele. Por que você está me falando isso? Veio aqui defendê-lo? É melhor sair daqui. Fora! Saia depressa!

Falou aos gritos, ameaçando-a com a mão. Maria Adélia saiu, saímos. Nossa instrutora explicou.

– Como vê, fazemos mal a nós mesmos quando prejudicamos alguém. Esse obsessor foi ao umbral, em lugares denominados escolas, aprender a vampirizar e a obsediar. Muitos são os núcleos de ódio.

– Será que a mãe dele não vela por ele? – indagou Carlos Alberto.

– Acredito que sim. Mas, enquanto ele estiver tão endurecido, ela não poderá ajudá-lo. Não viemos aqui para socorrê-lo. Mas, sim, ver como se processa uma obsessão com um literato. Esse fato que vimos é minoria e também um acontecimento de vingança particular. Muitas obsessões nesse ramo são para escrever exaltando erros. Aqui ninguém pediu ajuda, não nos cabe intrometermos. Esse encarnado é frio, calculista e egoísta.

– Leva-nos a crer que essa obsessão não é de todo ruim para ele – disse Adelaide.

– Obsessão não é bom para ninguém. O obsessor perde tempo, e o mal que faz a ele mesmo se reverte. O obsediado pode odiar cada vez mais. O encarnado com esses defeitos vibra como o desencarnado e por isso torna-se alvo mais fácil da obsessão. Ele, não conseguindo escrever mais nada de bom, no sentido literário, terá um castigo ao seu orgulho. Vamos desejar que ele aprenda a lição.

– Se fosse uma pessoa religiosa, que orasse e fosse bom, o desencarnado poderia obsediá-lo? – indagou Carlos Alberto.

– Ele errou com o desencarnado. Traiu o amigo, roubando-lhe a matéria. Mas para todos os erros há perdão, quando o errado pede com sinceridade. Ele tem que sentir que, se voltasse o tempo, não faria o que fez novamente. Só pedir perdão é fácil demais. Há ainda a necessidade de reparar. Nesse caso, ele, o encarnado, arrependido, pediria perdão ao ex-amigo. Mas, respondendo a sua pergunta: se ele tivesse se tornado bom e orasse com fé e sinceridade, dificultaria a perseguição. Se orasse com fé e sinceridade, orações de coração, ficaria bem difícil obsediá-lo. Nesse caso, já teria sido socorrido por alguma equipe de socorro.

Fomos ver algumas pessoas que escrevem, inspiradas por espíritos trevosos. O encarnado imprudente quase sempre está à procura de glória e fama, e esses desencarnados querem propagar seus objetivos, que são levar a Terra mais ainda ao caos e mais pessoas à perdição. Mas quero deixar claro que a culpa é de ambos. Todos temos nosso livre-arbítrio que é respeitado. Esses desencarnados quase sempre cuidam do encarnado, fazendo-lhe favores e desfrutando juntos os prazeres. Digo prazeres, porque das dores o desencarnado não quer nem saber, o encarnado que se vire.

Não há um núcleo, no umbral, que cuide especialmente da literatura; em todas as cidades umbralinas há bibliotecas, algumas bem organizadas. Revistas e livros obscenos são manchetes lá.

Fomos a uma dessas cidades, a uma festa promovida para homenagear um escritor encarnado. Disfarçamo-nos e lá chegamos os dez: nós, os oito alunos, mais os dois instrutores. O salão da festa estava enfeitado com bandeirinhas, e por toda a parede havia quadros obscenos. Tudo muito colorido. O encarnado homenageado, que fora afastado do corpo enquanto dormia, ora parecia um tanto alheio, ora mais consciente.[7]

---

7. O desencarnado que ajudava a escrever estava perto do escritor todo orgulhoso, dando também autógrafos. (N.A.E.)

– Estes livros que vemos aqui são cópias dos livros e artigos dele, que são editados na Terra. São cópias plasmadas – explicou Aureliano.

Uma música alta se ouvia; eram músicas quase todas eróticas, algumas conhecidas dos encarnados, outras não. Não fomos percebidos no meio da multidão e pudemos observar tudo. Muitos encarnados estavam presentes como convidados. Conversavam e gargalhavam muito. Depois de termos andado por lá e visto tudo o que desejávamos para nosso conhecimento, fomos embora.

– Esse encarnado sabe que está sendo usado? – indagou Henrique.

– Acredito que não, é muito orgulhoso e vaidoso para desconfiar. Deixo bem claro que nem todos os escritores escrevem inspirados, sejam obras boas ou ruins. Muitos têm talento e fazem isso sozinhos. Os que são inspirados têm de ter também dom para escrever, se não fosse assim, o desencarnado não conseguiria fazer o trabalho sozinho.

– Quanto a esse escritor que vimos no umbral, o que acontecerá com ele quando desencarnar? – indagou Maria da Penha.

– Isso dependerá de como estiver sua vibração no momento. Se desencarnasse agora, iria para o umbral, pois está vibrando com ele. Mas estamos sempre mudando, e esperamos que ele mude para melhor. É uma pessoa de talento. Já estivemos incentivando-o a escrever boas obras. No momento, prefere continuar fazendo o que vimos.

Aureliano fez uma pausa e completou emocionado:

– "Vigiai e orai" disse-nos sabiamente Jesus, e prudentes são aqueles que assim procedem.

Capítulo 12

Fatos interessantes

Aprendi muito tomando parte nas conversas pelos pátios. Eram conversações sadias e cheias de conhecimentos. Grupos afins, estudiosos e amantes da boa literatura. Quase todos ali estavam por amar os livros, mas havia algumas exceções. Não que esses, que eram exceções, não amassem a literatura, mas ali estavam também por outra finalidade ou por motivos diferentes da maioria.

– Patrícia – disse Marcelo –, sou uma dessas exceções. Gostava e gosto muito de ler. Tentei aprender a escrever, mas não deu, estou desistindo.

– Por quê? – indaguei.

– Queria aprender por amor. Não por amor à literatura, mas a uma pessoa. Amo muito uma mulher, estamos juntos há muitas encarnações. Faz cinco anos que desencarnei e ela ainda está encarnada; fomos casados por trinta e dois anos. Vivemos felizes e unidos. Tenho saudades dela, aqui, e ela lá, de mim. Quando ela desencarnar estaremos juntos; demorará ainda alguns anos e, enquanto a espero, tento aprender e ser útil. Vim aqui estudar, porque ela gosta muito de poesias e reclamava por eu não conseguir escrever nenhuma para ela. Pensando em agradá-la, quis vir aqui, para que, quando estivéssemos encarnados, pudesse fazer-lhe belas poesias. Mas vi logo que este estudo não é para banalidades românticas. Não devo ocupar assim meu tempo, nem o lugar de outros.

– Marcelo, como sabe que estarão juntos, você e ela, na próxima encarnação?

– Não temos porque nos separar. Não erramos, não temos carma negativo a quitar. Temos um pelo outro um amor sincero, somos companheiros de progresso.

Conversamos mais um pouco e ele se despediu.

– Até breve, amiga! Desejo-lhe êxito nos seus planos. Devo partir logo.

Marcelo saiu, fiquei pensando no que me disse e querendo saber mais detalhes. Foi uma felicidade encontrar o diretor e, após os cumprimentos, demonstrei vontade de fazer algumas perguntas.

– Patrícia, pergunte o que quiser, responderei como puder – disse sorrindo.

– Conversava com Marcelo, que se despediu. Abandonou o curso? – indaguei, sorrindo, e contente por achar alguém para me esclarecer.

– Abandonar não é o termo certo. Não irá concluí-lo por não ter vocação, dom para escrever, ou mesmo interesse sincero.

– A Casa do Escritor não sabia desse detalhe ao inscrevê-lo?

– Sim, sabíamos. Tanto que o colocamos como excedente no seu curso. Aceitamos sua presença, porque estava entusiasmado dizendo querer muito. Costumamos aceitar casos assim, como esse de Marcelo. Alguns, ao nos procurar, dizem desejar cursá-lo e que estão realizando seus sonhos. Sabendo-se da possibilidade de não concluírem o curso, colocamo-los como candidatos a mais na sala de aula para não ocuparem o lugar de outro. Mas, no decorrer do estudo, alguns podem concluí-lo com êxito e outros, logo que o curso começa, veem por si mesmos que estão deslocados, que não são capazes de completá-lo e pedem para sair. Patrícia, se não aceitarmos suas inscrições, poderemos estar recusando um desses que acabam por concluí-lo e que poderão vir a ser ótimos escritores e trabalhadores da casa. Também poderemos estar impedindo alguém de estudar e ser útil neste campo. Marcelo queria aprender para fins particulares, ou seja, agradar o espírito que ama. Este nosso plano, que envolve trabalhos de tantos, só pode dar certo para fins úteis a muitas pessoas.

– Ele me disse que na próxima encarnação encontrará e ficará junto de sua amada. Isto é mesmo possível?

– Sim, os dois estão unidos e caminhando para o progresso. São dois espíritos abnegados que cuidaram com amor por muitos anos de um asilo de idosos, com muita honestidade, caridade e paciência. Não tem por que, se é da vontade deles, separá-los. Certamente quando forem reencarnar combinarão para se encontrar e ficar juntos.

– Existem muitos casos como o dele? De pessoas que combinam ficar juntas?

– Existem, sim, mas não são a maioria. Nem todas as pessoas estão juntas por afinidades de sentimentos sinceros. Tenho visto muitos casais que, encarnados, são exemplos de carinho e de ajuda mútua. São casais como Marcelo e sua amada. Não precisam ser exatamente bondosos como eles foram. Se não for por aprendizado ter de separá-los, ficam juntos como é da vontade deles.

– Ele me disse que são almas gêmeas.

– Patrícia, almas gêmeas é uma expressão, um modo romântico para designar pessoas afins. Mesmo irmãos gêmeos na carne podem ser bem diferentes; costumamos dizer que espíritos afins são aqueles que combinam, têm os mesmos gostos e ideais e que às vezes estão juntos há muitas encarnações. Tanto podem ser bons ou maus.

Devemos amar cada vez mais a todos, tentando nos educar moralmente, progredir e ajudar o maior número de pessoas a progredir também para o bem. Amar todos como irmãos é evoluir. E não se deve ter esse amor a número limitado de pessoas.

– O que você me diz do que estão fazendo algumas pessoas casadas, encarnadas, que se separam, dizendo que encontraram em outra pessoa sua cara-metade e querem ficar juntos?

– Na carne, deveriam levar a instituição do matrimônio mais a sério, não se casando sem pensar nem se separando sem pensar duas vezes. Principalmente tendo filhos. Os casais deveriam se conhecer melhor, casar conscientes do que seja viver juntos. Uma vez casados, tudo deve ser feito para que a união dure. A desculpa dada, de ter encontrado sua outra metade não é válida. Mesmo que tenha acontecido esse fato, não se deve construir a própria felicidade sobre a infelicidade de outras pessoas, principalmente a dos filhos, que são sempre os que mais sofrem com os erros dos pais.

Agradeci ao meu simpático amigo, diretor da casa, pois estava sempre a indagar e ele sempre gentilmente me atendendo.

Numa tarde, estudava no pátio embaixo de uma árvore frondosa, cheia de flores perfumadas e brancas.

– Bom dia! – cumprimentou-me um senhor, em esperanto. – Posso sentar-me aqui?

– Bom dia! Fique à vontade.

– Tenho que ler este livro e resumi-lo.

Sorri ao meu companheiro dando-lhe as boas-vindas; respondi também em esperanto; gostamos de conversar nesse idioma. O livro que trazia consigo era *Renúncia*, de Emmanuel, psicografado por Francisco Cândido Xavier. Leu algumas páginas em silêncio, depois voltou a conversar comigo.

– Chamo-me Norberto. E você?

– Patrícia.

Conversamos sobre cursos, falei o que fazia e por quê.

– Eu – disse ele – preparo-me para escrever aos encarnados. Logo que o curso terminar e iniciar outro, irei fazê-lo. Por enquanto, estou lendo a literatura brasileira, principalmente a espírita, e aprendo a língua portuguesa. Venho de um país da Europa. Vivi lá na última encarnação, onde fui escritor. Redigi sob a orientação de um espírito muito querido, que, desencarnado, me intuía a escrever. Agora, estou desencarnado e ele encarnado no Brasil, por isso vim estudar aqui.

– Gosta daqui? – indaguei.

– Sim, muito. O Brasil é muito bonito. Mas o que mais encanta é a literatura espírita, ela é farta e rica. Não só quero intuir meu amigo, mas também trabalhar junto ao meu país de origem, motivando-os a traduzirem as obras espíritas para instruir meu povo.

– Você disse "meu país", "meu povo". Você ainda separa. Não sente a Terra por moradia?

– Estou chegando lá, sorriu. Foi uma forma de dizer. Corrijo-me: quero levar a literatura espírita para todos os outros países da Terra. Como este livro que estou lendo. Para melhor aprender a língua portuguesa, estou fazendo trabalhos assim, leio livros e resumo em português. Aprendo duas vezes, porque as lições que estes livros nos dão são encantadoras.

– Que tal falarmos em português? – disse-lhe. – Leia e o corrigirei.

Assim fizemos, ele leu e eu ia lhe ensinando a pronúncia. A língua portuguesa é de fato muito difícil. Mas nosso amigo estava com vontade e aprendeu.

Uma vez, ao sair do teatro encontrei Laura; já a conhecia, mas foi a primeira vez que trocamos confidências.

– Sabe, Patrícia, matriculei-me no curso de preparação para ditar aos encarnados. Enquanto espero, estou tendo aulas de português e literatura. Gosto muito desta colônia, amo-a mesmo. Mas encontro dificuldades, não gosto de ler nem de escrever.

– E por que faz este curso, então? – indaguei curiosa.

Laura é moça, desencarnou aos vinte e cinco anos, é muito bonita. É morena clara, cabelos negros, longos e olhos azuis sombreados por longos cílios.

– Quando encarnada namorei um escritor, vivemos juntos alguns anos. Fui a musa inspiradora dele. Ele só escreveu e escreve bobeira. Quero aprender para tentar intuí-lo.

– É melhor fazer o que gosta, Laura; só quando amamos fazemos bem feito.

Despedimo-nos. Dois meses depois, ela me procurou para despedir-se.

– Vou embora, Patrícia. Não consigo progredir em meus estudos. Gosto mesmo é de lidar com crianças. Volto muito feliz para minha tarefa de cuidar dos nenês no educandário da Colônia Amor Divino, de onde vim.

– Irá deixar seu escritor?

– Bem, a equipe da casa irá visitá-lo e oferecer-lhe ajuda, se ele aceitar. Um espírito competente e com talento irá fazer o que eu almejava. Se ele não quiser, pelo menos tentamos. Acho que eu não conseguiria ajudá-lo sozinha.

– Boa sorte, Laura!

– Obrigada!

Uma tarde estava no pátio da frente e vi o diretor conversando com um senhor. Meu amigo me chamou e me apresentou.

– Este é José, e esteve conosco alguns meses, agora volta à sua colônia de origem.

Após os cumprimentos, o diretor convidou José a falar de seu problema.

– Desencarnei em um acidente. Tinha alguns conhecimentos espíritas, mas não o suficiente para ter-me libertado do fascínio material. Mas não posso queixar-me, logo estava bem. Fui estudar e trabalhar. Desejando ditar aos encarnados, vim para tentar fazer o curso, mas desisto.

– E por quê? – indaguei.

– Não gosto nem de ler, nem de escrever. Desisto por achar tudo muito difícil.

– Por que desejou fazê-lo? – perguntei novamente.

– Minha esposa é médium psicógrafa, embora não se interesse em trabalhar com seu dom. Queria estudar para tentar fazer com que ela trabalhasse com sua mediunidade e fosse útil. Fico pensando o que será dela quando desencarnar e vier com o seu talento enterrado. Não produziu, não multiplicou. Mas, como o diretor me dizia, todos temos o livre-arbítrio.

– Mas ela não tem um orientador desencarnado? – indaguei curiosa.

– Já teve. Um espírito bondoso e instruído tentou por muitas vezes ajudá-la no seu trabalho, mas ela desiste sempre, arrumando desculpas. Como esse espírito é laborioso, afastou-se e foi trabalhar com outra pessoa. Mas, se ela quiser voltar ao trabalho, poderá atrair um outro espírito capaz e instruído para ajudá-la. Isso também vai depender de sua intenção, porque nem estudar nem ler ela quer.

José se despediu e se afastou. O diretor me disse ainda:

– Nenhum dos dois têm vontade firme. Tanto que se ele quisesse e se esforçasse conseguiria estudar. Ler é um hábito adquirido. Aprenderia a escrever o suficiente, se quisesse, para treiná-la. Quanto à esposa, é pena que deixe de fazê-lo.

Outra que conheci, quando se despedia, foi Florinda. É moça ainda. Este moça ou idosa a que me refiro é o aspecto quase sempre de como desencarnou. É bonita e simples. Depois das apresentações, me disse:

– Não quero escrever, não tenho dom, não sei. Também não gosto de estudar. Queria só fazer parte da equipe da casa.

– Por que seu desejo de trabalhar na equipe? – indaguei.

– Acho lindo os livros, admiro quem gosta de ler. Queria incentivar as pessoas a lerem bons livros. Só assim poderia salvar muitas pessoas com a boa leitura. Mas não deu certo. Os professores são gentis, mas não me interesso. Acho que vou estudar na colônia de socorro e trabalhar com equipes de socorro.

Desejando votos carinhosos de êxito, despedimo-nos. Mas indaguei ao professor Aureliano, que estava a par dos problemas dela:

– Por que, Aureliano, Florinda não pôde ficar conosco?

– Para fazer parte da equipe da A Casa do Escritor é preciso ter preparo e conhecimentos. Infelizmente nosso trabalho é com intelectuais. Como ajudar sem que seja? Como incentivar a boa leitura, se não lê?

Pensei muito nesse fato. Só damos o que temos, só ensinamos o que sabemos, só podemos incentivar outros a fazer, se fizermos. Mas, num ponto, Florinda tem razão, a boa leitura ajuda a muitos; ah, como ajuda!

No final de uma palestra, Ana declamou uma linda poesia de sua autoria. Encantou a todos. Quando terminou a reunião, ficamos conversando e Ana estava presente. Ela já estudou em nossa colônia, e atualmente faz parte do grupo de organizadores da casa. Encarnada, foi uma excelente poetisa. Escreveu com muito talento obras belíssimas.

– Ana – indagou uma companheira –, você teve dificuldades em escrever quando encarnada?

– Para escrever, não. Sempre amei a poesia. Mas para editar, sim. Anos atrás o preconceito contra a mulher era grande. Usei até um pseudônimo. Mas valeu lutar pelo que amo.

– O que você faz atualmente? – indagou outro companheiro.

– Estudo poesias e as escrevo. Trabalho junto com a equipe da casa. Logo, no ano vindouro, também lecionarei em cursos aqui.

– Você irá reencarnar logo? – perguntou um senhor.

– Certamente, daqui a alguns anos voltarei à carne e pretendo ser escritora e poetisa. Espero exaltar as belezas do Criador nos meus escritos.

Um companheiro me disse baixinho:

– Ana é muito culta e instruída. Fez os cursos da casa todos de uma só vez, mas só para tê-los concluídos, porque sabia tudo que eles ofereceram. Será uma sábia instrutora.

Na A Casa do Escritor só vemos adultos, uns mais jovens outros mais idosos. Raramente vemos crianças frequentando os cursos. Elas, sim, enfeitam a casa, quando vêm em excursões, que são verdadeiro aprendizado.

A primeira vez que vi uma criança ali, estranhei. O diretor me apresentou.

– Esta é Rosângela, nossa companheira de aprendizado.

Nosso diretor afastou-se e ficamos conversando.

– Patrícia, desencarnei há um bom tempo. Fui levada para um educandário. Amo lidar com crianças, sentir-me criança. Logo estava ótima. Por estudos de outras existências, tenho uma inteligência desenvolvida. Encarnada, era excepcional, de QI elevado. Nessa época em que me achava recolhida no educandário, um grupo de três garotos estava com problemas de adaptação. Comecei a conversar com eles e os ajudei. E meu trabalho por anos ficou sendo esse. Muitas vezes, uma criança ajuda mais outra criança do que um adulto. Estudei, trabalhei e não mudei meu perispírito. Porque, se quisesse, poderia crescer, tornar-me jovem ou adulta. Prefiro ficar assim. Sempre gostei de escrever, interessei-me em aprender e aqui estou pronta a começar logo a estudar. Pretendo escrever histórias para crianças. Histórias com enredo interessante, que distraia e eduque. E nada como uma criança escrever para outra criança. Assim, sinto que às vezes sou adulta e, às vezes, criança. É com esta minha parte infantil que quero escrever para muitas crianças.

– Pretende escrever desencarnada ou encarnada?

– Quero fazer os dois. Quero, se possível, ditar pela psicografia. Depois reencarnar e ser uma escritora.

– Você se sente bem? É feliz?

– Muito! Sou realmente muito feliz!

Aqui nosso livre-arbítrio é respeitado. Rosângela tem realmente muito talento.

Osvaldo, nosso companheiro de curso, narrando sua história à classe, disse que veio para a casa por amor à sua noiva.

– Estava noivo com casamento marcado, quando desencarnei em um acidente. Era católico, mas a família de minha noiva era espírita. E foram eles que me ajudaram. Fui socorrido, aceitei a desencarnação e logo estava bem. Minha ex-noiva tinha um parente que psicografava. Fui evocado e gostei demais de escrever. Assim, sempre estava dando notícias à minha noiva e à minha família, que depois virou Espírita. Fui convidado a estudar para aprender como é a vida no mundo espiritual. E o tempo passou, e eu a escrever. Para melhor fazê-lo e impressionar minha amada, me inscrevi no curso e agora o concluo. Só que muita coisa mudou. Passei a amar a literatura e a querer dedicar-me a ela com carinho. Atualmente, mensagens particulares escrevo só para a família, e isso raramente. Minha ex-noiva casou-se e está muito bem. Aprendo aqui, e o médium lá, treinamos e quem sabe editaremos mais tarde. Como vê, vim à casa por um fato particular e aqui aprendi a pensar em fazer o bem a mais pessoas, com a facilidade que tenho para me exprimir.

– Você, quando reencarnar, vai querer se dedicar à literatura?

– Isso são planos para um futuro mais remoto. Quero, sim, ser um escritor encarnado. Afinal, trabalhar com a literatura é muito agradável e ser útil por meio dela é prazeroso!

Capítulo 13

Meu pai

Nos últimos seis meses de curso, comecei a escrever os rascunhos que iria logo mais ditar à minha tia Vera e que depois se transformariam em livros. Senti, em certas partes, algumas dificuldades e dúvidas. Como sempre, nessas ocasiões, buscava ajuda de amigos, mas de forma especial ia até meu pai para receber suas opiniões sábias e seus ensinamentos profundos e valiosos.

Um dia conversando sobre esse assunto com Antônio Carlos, ele disse:

– Patrícia, muitos se enganam ao achar que só os desencarnados podem orientar e ensinar. O saber é do espírito ativo que trabalha e estuda, que pode tanto estar encarnado quanto desencarnado. Aquele que sabe é porque aprendeu. E para aprender não poupou esforços. Para que existem tantos cursos que preparam para a reencarnação? É verdade que o encarnado não se lembra de tudo o que aprendeu, mas fica em sua memória mais do que se imagina. Logo, nas primeiras leituras e estudos, a recordação vem como aprendizado rápido e fácil. Depois, existem tantos cursos para encarnados e tantos livros fantásticos, que só não aprende os que não querem. Assim, encontramos muitos encarnados com tantos conhecimentos que superam os de muitos desencarnados, até, às vezes, estes que com ele trabalham.

Antônio Carlos tem razão, meu pai é um estudioso há muitas encarnações. Tem muitos conhecimentos e é a ele que recorro quase sempre para resolver uma questão mais difícil.

José Carlos Braghini, meu pai na última existência, é uma pessoa que respeito e amo. Não é médium. Mas nem por isso torna impossível nosso intercâmbio. Todos nós temos nossa sensibilidade que pode ser apurada com o exercício da mente, de estudos e até mesmo de trabalhos que envolvam a mediunidade.

Meu pai medita muito. Nessas meditações, em que quase sempre está com a mente voltada para um dos ensinamentos do Mestre Jesus, sempre que posso fico perto. E seus pensamentos vêm até mim. Escuto enlevada suas conclusões, tal como fazia quando encarnada.

– Pai, papai, como o senhor escreveria sobre este assunto?

Digo-lhe de mente a mente. Raramente não pode me atender. Nem mesmo sabendo ele por que, muda suas reflexões e começa a pensar no assunto sugerido. Eu, rapidinho, tomo nota. Quantas sugestões preciosas!

Esse fato é bem possível. Não pensem os encarnados que só os que têm mediunidade podem se comunicar com seus entes queridos desencarnados. O amor é um laço forte. Põe forte nisso. Às vezes é atado com nó. Mas pode prejudicar os que amamos. O amor que une tem que ter o entendimento e existir sem egoísmo. Temos que desejar sempre aos que amamos felicidade e que eles estejam bem, melhores do que nós. Senão, pode acontecer de o nó ser tão forte, que torna prisioneiros os que amamos. Como fazem muitos encarnados aos seus ternos desencarnados. Em vez de ajudá-los a enfrentar a nova existência, choram, reclamam, desesperam-se, chamando-os para perto de si, fazendo mal aos que amam.

Nós, os desencarnados, sentimos muito os pensamentos dos que nos amam. Muito se fala na obsessão de desencarnados a encarnados, mas temos que falar também que muitas vezes é o encarnado que não deixa o desencarnado seguir seu caminho. Ata-o com nó e não quer abrir mão de sua presença, embora nem sinta direito essa presença pelo estado de vibração, que diferencia o encarnado do desencarnado.

Como é bom quando nossos entes queridos entendem e nos ajudam. Como é triste sofrer com o sofrimento deles. Presenciei muitos companheiros desencarnados desesperarem-se com a agonia dos seus entes queridos encarnados. Chegando às vezes a se perturbarem com os chamamentos deles. Como é bom ter conhecimentos espíritas! Como é confortador desencarnar com esses conhecimentos!

Nós, os desencarnados, podemos nos comunicar com quem amamos, sejam eles médiuns ou não. Se for médium é mais fácil. Se não, pode ser pelo afastamento do corpo, durante o sono, ou pelas conversas pelo pensamento. Infelizmente, quase sempre o encarnado não percebe. Mas, se aprende a sentir pelo amor, confiando, sente nossa presença, sim. Para que esse intercâmbio seja bom, tem que ser uma conversa edificante e agradável. O desencarnado precisa estar bem, consciente do seu estado. E o encarnado, consciente do que seja a desencarnação, compreender para ajudar sempre. Se uma das partes estiver perturbada, seja pela dor, desespero, ou inconformação, isso não é bom para nenhuma delas. Pode ser até prejudicial ao desencarnado, principalmente se o encarnado estiver revoltado. Se ambos estão bem, é maravilhoso.

Assim, sempre estou com meus entes queridos, com a mamãe, meus irmãos, amigos e meu pai.

Fui ensinada por meu pai a ver tudo como realmente é, não como queríamos que fosse. A nossa mente quase sempre só se interessa por aquilo em que toca, pela sensação e prazer dos sentidos. Por esta razão não chegamos a compreender e a viver os ensinamentos do magistral Nazareno, ou de outros grandes homens que passaram pela Terra. Tudo o que se repete torna-se para nós enfadonho e sem motivação. Nesse sentido, a atuação é a sustentação da vida. A onipresença de Deus é algo sutil e não relacionada aos sentidos. Por isso nos passa despercebida e perdemos a oportunidade de participar com Deus do seu concerto universal.

Como é comum na vivência física, em muitas ocasiões, éramos envolvidos por vibrações negativas e, como é natural, sentíamos. Mas sabíamos que, com uma simples mentalização de meu pai, aquelas vibrações poderiam ser dissolvidas. Mas também, de antemão, sabíamos da sua resposta: "Já os ensinei, façam vocês, não quero que continuem a ser mendigos espirituais. Façam por si mesmos". Aparentemente nos deixava sozinhos, mas, na sua falsa ausência de socorro, estava vigilante e, em pouco tempo, estávamos livres da atuação negativa.

Assim é sempre meu pai: bondoso e sábio, tentando sempre educar todos os que o rodeiam. Muitos espíritos do astral inferior o chamam de Feiticeiro pelo seu passado, em outras existências, e o depreciando por ser um estudioso das verdades eternas.

Meu pai não é pessoa de pedir por qualquer coisa. Ensinou-nos que precisamos agir sempre com perseverança e convicção por aquilo que queremos. Atuar sempre com total ausência de ódio ou revolta, mesmo quando estamos sendo acuados. Que precisamos transformar e não destruir.

Um dia, quando estava ao seu lado, perguntou-me:

"Patrícia, minha filha, gosta da Colônia A Casa do Escritor? Lá é lindo?"

– Já vi colônias mais bonitas.

Respondi, pensando que realmente já vira colônias muito mais encantadoras. Meu pai me respondeu:

"Quando no mundo físico, a maioria de nós não tem condições de avaliar o quanto se está condicionado a resultados. A beleza, por exemplo. Quando é que achamos algo belo? Quando esse algo está ligado ao extraordinário e nos leva a sentir que, se o possuírmos, passamos a ser mais importantes ou poderosos. Quando você visitou a Colônia Triângulo, Rosa e Cruz, sentiu uma emoção indescritível, pois é extraordinário o visual, algo incomum. Para os desavisados, esta sensação de poder e beleza é tão incomum e poderosa, que poderá levá-los a se perder no orgulho e na vaidade.

Quando você deparou com a visão da Colônia A Casa do Escritor, estranhou pela diferença entre uma e outra. Mas, filha, veja a manifestação de Deus tanto no extraordinário como também no simples e necessário. Essa casa, que é seu lar no momento, é absolutamente necessária, pois se encontram ali espíritos que se dedicam ao aperfeiçoamento psicológico dos homens. Neste mister, a simplicidade não é só necessária mas realmente imprescindível, pois no seu interior o homem precisa se assemelhar a Deus, que é realmente profundamente simples.

A beleza que encanta os olhos em muitas ocasiões é passageira. A beleza do simples, mas necessário para a sustentação da maioria, é sempre pura e eterna.

A beleza da manifestação de Deus está justamente no contraste dos opostos. A beleza que encanta os olhos e a mente não está dissociada da simplicidade daqueles que, por estarem integrados e serem melhores, são agentes atuantes do movimento de evolução de seus irmãos em humanidade. Sentem alegria em ser o que são, não necessitam de ostentação. Não quero dizer que os integrantes da Colônia Triângulo, Rosa e Cruz fazem ostentação, mas, sim, que nos mostram com simplicidade as possibilidades de criatividade do ser humano na sua vida externa.

Nessa casa estão os que trabalham no burilamento do ser interno do homem.

E, agora, Patrícia, o que me responde? A Casa do Escritor é linda?"

– Sim, é realmente encantadora! – respondi, beijando-lhe a testa.

Como vimos, ajuda-se sempre quando queremos, estejamos encarnados ou desencarnados. E a ajuda dos que amamos nos é muito valiosa. Principalmente nós que, pela desencarnação, nos defrontamos com um mundo diferente que desconhecemos. A ajuda dos encarnados que amamos é sempre de muita importância.

Capítulo 14

A história de Loreta

Tinha de fazer uma redação, uma história para que pudesse apresentar à classe. Já havia feito três, e não saíram ao meu gosto. Um colega pediu-me que fosse a uma colônia para ele. Fui lhe fazer o favor com alegria. Essa colônia é muito bonita. Passando por uma praça, não pude deixar de parar para olhar um enorme chafariz de pedras azuis. Encantador! Sentei num dos bancos confortáveis da praça e fiquei a admirá-la. De repente, percebi perto de mim uma moça, também embebida com os encantos do chafariz. Observei-a. Linda, lindíssima. Loura, olhos azul-esverdeados, sombreados por longos cílios, traços perfeitos e harmoniosos, pele moreno-clara, delicada e tímida.

Sentindo-se observada, olhou-me e me cumprimentou.

– Oi, sou Loreta.

– Oi, sou Patrícia. Como está? Desculpe-me por observá-la. Achei-a tão linda!

– Está preocupada com alguma coisa? – indagou delicadamente.

– Tenho que fazer uma redação para apresentar amanhã à minha classe. Não fiz nada de bom. Procuro uma boa história. Você sabe alguma que seja interessante para me contar?

Loreta sorriu, seu sorriso é encantador.

– Se tiver tempo, falarei para você de minha vida.

– Se você pudesse me fazer esse favor, agradeceria – falei animada.

Sentei-me mais perto dela e esperei ansiosa pelo relato.

– Sou filha de pais separados. Quando criança, raramente via meu pai, e depois não o vi mais. Tinha só um irmão, mais velho do que eu, e que aos treze anos saiu de casa e não se soube mais dele. Minha mãe casou-se novamente, e meu padrasto, até então, era razoável e trabalhador.

Logo que comecei a entender, percebi que minha beleza física muito me atrapalhava. Tive poucas amigas, as meninas tinham ciúme de mim porque os coleguinhas da escola queriam me namorar. Não gostava dos garotos porque eles sempre me diziam gracinhas. Quando estava com onze para doze anos, os problemas se agravaram. Estava tornando-me uma bela mocinha. Meu padrasto começou a me cobiçar. Foi horrível, tinha medo dele e ficava sempre trancada em meu quarto. Evitava ficar a sós com ele. Mas ele me olhava muito, minha mãe desconfiou do esposo e achou que eu atrapalhava.

Nessa época, não tinha nenhuma amiga, acabara os quatro primeiros anos da escola e não estudava mais, só ajudava minha mãe nos trabalhos de casa. Tinha cada vez mais medo do meu padrasto. Minha mãe achou uma solução, arrumou para mim um internato, onde estudaria e trabalharia no colégio.

Gostei de lá, era calmo e me entusiasmei em estudar. Tinha um quarto bem pequeno, mas fiquei contente por ser só meu. Os anos se passaram, não saía do colégio para nada, nem nas férias. Minha mãe raramente me visitava. Sentia-me muito só e trabalhava muito, tive poucas amigas, a maioria não queria amizade com uma moça tão bela e que trabalhava para se manter. Tudo corria bem, até que veio, transferida de outro colégio, uma freira, e meu sossego acabou. Começou a assediar-me. No começo não entendi bem o que ela queria, pois eu era inocente. Clarinha, uma das poucas amigas que tive, colega de internato, me alertou. Comecei a fugir dessa freira e tive depois de ser clara e dizer que não queria o que me propunha.

Ela começou a me perseguir, sobrecarregando-me de trabalho. Fiquei desesperada, não tinha a quem recorrer, estava com dezesseis anos.

Clarinha me ajudou, arrumou-me um emprego de balconista numa loja de sua tia, onde poderia morar nos fundos do estabelecimento. Fiquei triste por parar de estudar, mas era uma solução. Minha mãe não me queria em casa, e eu não tinha para onde ir, não podia ficar mais no colégio.

Saí de lá e fui trabalhar com dona Mara, a tia de Clarinha. Ela era uma solteirona muito boa, que me empregou, deixando que morasse no quarto dos fundos. Gostei do lugar e do emprego, deu certo. Passei um tempo tranquila.

Mas minha beleza era um atrativo tanto para a loja, quanto para muitos homens que me diziam galanteios, uns grosseiros, outros mais por brincadeira. Ao saberem que era só e uma simples empregada, fui alvo de muita cobiça.

Conheci Geraldo, quando entrou na loja para comprar um presente para sua irmã. Era tímido, educado e respeitador. Voltou outras vezes para conversarmos. Não se referiu a minha beleza, parecia até que não me achava bonita. Convidou-me para sair, foi um passeio agradável. Ao seu lado sentia-me segura. Achava-o diferente dos outros, não me fez nenhuma proposta. Começamos a namorar e logo após noivamos. Não tinha certeza de amá-lo, mas, pensando estar segura com ele, aceitei casar-me. Tinha dezoito anos.

Casamo-nos e fomos morar numa casinha nos fundos da casa de sua irmã. Geraldo só tinha essa irmã como parente. Chamava-se Dulce e era boa e amável. Tornamo-nos amigas.

Sentia-me tão feliz em ter meu cantinho! Nossa casinha era linda e acolhedora. Mas, para minha surpresa, Geraldo modificou-se, não me deixou trabalhar mais e tinha por mim um ciúme incontrolável. Prendeu-me dentro de casa. Raramente saía e, quando o fazia, era com ele e quase sempre, quando voltávamos, havia brigas. Muitas vezes me surrou, sem que nada houvesse feito de errado. Depois ele sempre se arrependia, pedia perdão, e eu o perdoava. Sofri muito, porque ninguém podia me olhar. Mesmo vestindo-me simplesmente, sem nenhum enfeite, era alvo dos olhares masculinos, e isso o deixava louco de ciúme. Para evitar brigas, preferia mesmo não sair de casa.

Estava com vinte e três anos. Tivemos dois filhos, um casal, e estava grávida de três meses. Um dia meu menino, o mais velho, estava febril. Geraldo quase sempre chegava em casa às seis e meia da tarde, porém às vezes se atrasava. Esses atrasos eram porque ele fazia as compras da casa. Minha cunhada estava viajando e o menino piorava. Resolvi ir à farmácia, perto de casa, buscar um remédio.

A farmácia já estava fechada, o proprietário, pessoa boa, morava nos fundos. Era um viúvo de meia-idade. Recebeu-me gentilmente, pediu-me que entrasse, pois ia pegar o remédio. Tive medo, pois, se Geraldo soubesse que entrara na casa dele, ia me surrar. Mas, pensei, ele não vai saber, não tem nada demais comprar um remédio para o filho doente.

Mas Geraldo chegou e, na frente da casa, foi surpreendido por uma vizinha fofoqueira, invejosa e maliciosa, que só para atiçar ciúmes nele, comentou:

"Geraldo, Loreta não está, foi à farmácia. Vi-a entrar na casa do proprietário. Você sabe, é viúvo e bem bonito. A esta hora, a farmácia está fechada, não sei o que ela está fazendo lá."

Meu marido nem respondeu e foi verificar. Estava muito nervoso, foi entrando sem bater. Quando chegou à sala, o farmacêutico estava me entregando o remédio. Não existiu nenhuma má intenção de nossa parte. Geraldo só andava armado. Costume que eu recriminava, mas ele dizia que era para evitar assaltos. Ao nos ver perto um do outro, sem indagar, sem ao menos confirmar qualquer suspeita, tirou o revólver e descarregou-o em nós dois. Os ferimentos que recebemos nos fizeram desencarnar na hora.

Senti o impacto, uma dor forte no peito, uma sensação tão horrível, que pensei ter desmaiado de dor, porque não vi mais nada.

Acordei numa enfermaria e julguei estar num hospital de encarnados. Mas estava num posto de auxílio, no plano espiritual. Estava magoada com a atitude do meu esposo e não quis conversar com ninguém; nem com os gentis enfermeiros desejei manter um diálogo. Mas estranhei logo, não vi meus ferimentos. Tinha certeza que fora ferida, preocupei-me com a criança que esperava. Indaguei à enfermeira:

"O que aconteceu com meu nenê?"

"A senhora o perdeu por causa dos ferimentos."

"Onde estão meus ferimentos?"

"Nós os curamos, mas não pense neles, senão podem voltar."

Achei tudo bem estranho. Naquele dia, à tarde, uma das enfermeiras fez uma linda oração, que me comoveu até as lágrimas, mas que me levou a pensar muito. Achei que algo diferente acontecera comigo. Novamente perguntei à enfermeira:

"O que aconteceu comigo? Morri com os ferimentos?"

"Seu corpo morreu, vive em espírito."

Bondosamente ela me explicou que desencarnei, estava socorrida etc...

Chorei muito e reclamei:

"Tudo o que me aconteceu foi por ser bonita. Se fosse feia, Geraldo não ia ter ciúme de mim. Não me mataria só pelo fato de ter ido comprar remédios."

Ao recordar dos remédios, lembrei-me do filho doente, quis vê-lo, quis ir para casa. Fui aconselhada pela enfermeira a não desejar ir. Ela, carinhosamente, disse que ele havia sarado, que eles estavam bem com a minha cunhada. Não acreditei e desejei ir ardentemente para casa e fui impulsionada pela minha vontade.[8] Quando vi, estava na minha ex-casa. Mas tudo era diferente, outro casal morava ali. Fui à casa de Dulce e encontrei meus filhos. Minha cunhada e o marido eram pessoas boas, tinham três filhos moços e ficaram cuidando dos meus dois filhos. Foi com alegria que os vi bem e amados por estes dois amigos bondosos.

Ali soube que Geraldo fora preso em flagrante, estava numa prisão e, como todos diziam, não sairia de lá tão cedo.

---

8. Quando um espírito socorrido em postos quer ir ardentemente para junto dos seus encarnados queridos, sua vontade forte o impulsiona, isto é, ele volta sem saber como ocorreu. (N.A.E.)

Sabia que estava desencarnada, mas resolvi ficar ali e não sair para nada. Estava acostumada, era muito caseira e fiquei, como que escondida. Evitava todos os encarnados, temendo que eles me vissem ou me sentissem. Os ferimentos apareceram, eram quatro, dois no peito, um no braço e outro no ombro esquerdo. Doíam muito e às vezes sangravam. Isto muito me incomodava.[9]

Mas meus fluidos não estavam fazendo bem à Dulce e à família. Via-os inquietos, queixando-se. Não julguei ser eu a causa. Dulce tinha alguns conhecimentos espíritas e resolveu ir ao centro espírita. Achei certo e fiquei a cuidar da casa. Estava quieta num canto, quando vi dois desencarnados me pegarem pelo braço e me levarem. Assustei-me, mas a viagem foi rápida, em segundos estávamos no Centro Espírita onde Dulce fora.[10]

Colocaram-me perto de uma senhora e de um senhor, ambos encarnados. Ele foi conversar comigo.[11] Explicou-me bem minha condição, fazendo-me ver que fazia mal aos que estavam em casa. Estranhei, não queria

---

9. O espírito saindo sem permissão e sem entendimento pode sentir os reflexos das suas doenças ou ferimentos como aconteceu com nossa amiga. (N.A.E.)

10. Como Dulce foi pedir ajuda, dois trabalhadores do centro espírita foram à casa dela verificar o que estava acontecendo. Ao encontrar Loreta, eles a levaram à casa espírita para receber orientação. (N.A.E.)

11. Recebeu doutrinação pela incorporação. (N.A.E.)

fazer mal a ninguém, ainda mais aos que amava. O encarnado que conversava comigo disse que isso é comum e que os desencarnados que voltam sem preparo para perto dos que amam fazem mal a eles.[12] Disse com bondade da necessidade que tinha de voltar ao plano espiritual. Revoltei-me e me recusei ir para o hospital, para o mundo espiritual. Mas prometi não voltar para a casa de Dulce.

Com meu livre-arbítrio respeitado, saí do centro espírita e pus-me a vagar pelo bairro. Fui parar numa praça onde descansei num canto. Senti fome, só então percebi que o orientador do centro espírita tinha razão, alimentava-me junto com os familiares.[13]

De repente, um menino derrubou um sorvete e corri para pegá-lo.

"É meu!"

Uma desencarnada, senhora idosa e feia, me bateu com força na mão.[14] Voltei para onde estava e chorei.

A senhora me observou curiosa e se aproximou.

"Você está sofrendo?"

---

12. Fluidos de espíritos sem compreensão prejudicam os familiares. (N.A.E.)

13. Só está livre das necessidades de encarnado o desencarnado que compreende e aprende a viver como tal. No caso de Loreta, ela se alimentava dos fluidos vitais dos alimentos. (N.A.E.)

14. Um desencarnado pode bater e acariciar outro desencarnado. São da mesma matéria. Sentem-se mutuamente. (N.A.E.)

"Estou, a senhora não está?"

"Ora, ora, há anos sofro e nem ligo mais. Pode tomar o sorvete, dou a você. Fale o que se passa que talvez possa ajudá-la. Chamo-me Lalá. E você?"

"Loreta" – respondi.

Tomei o sorvete, Lalá sentou-se perto de mim e contei toda minha vida para ela.

"Sua beleza foi sua perdição" – comentou. – "Você se vingou desse Geraldo?"

"Vingar?"

"Ora, não seja burra, o cara mata seu corpo jovem e belo, você é inocente e vai deixar por isso mesmo? Se quiser, ajudo você a se vingar."

"Nem sei se quero, ou o que quero, ou faço."

"Se quiser ficar comigo, cuido de você."

"Quero."

Dois desencarnados mal-encarados, espíritos ociosos, passaram por ali e mexeram comigo, tentaram me agarrar. Lalá, para meu alívio, os enfrentou e os pôs para correr.

"Tenho medo, minha beleza me atrapalha até desencarnada. Obrigada, você foi corajosa. Não pensei que desencarnados fossem mexer comigo."

"Depende dos desencarnados. Os bons não fazem isso, nem encarnados nem desencarnados. Os maus fazem mesmo. Mas como é engraçada a vida. Uns querendo ser bonitos, e a outros a beleza incomoda. Você é bonita realmente. Conheço esses dois, são ruins mesmo, se eu não estivesse aqui... Você quer ficar feia?"

"Quero."

"Vou maquiá-la. Venha comigo até minha casa, lá tenho os apetrechos."

Lalá foi comigo até a sua ex-casa terrena; seu marido casara com outra e ela odiava a esposa dele. Após conhecer a casa, Lalá começou a me maquiar. Ela me enfeiou, sujou, descabelou, tingiu a pele de preto-azulado. Maquiou-me a boca, tornando-a torta e grande e fez uma horrível cicatriz na face esquerda.

Ela plasmou o material que usou na maquiagem.

Ao olhar no espelho, levei um susto, estava bem feia, mas sentia-me tranquila, nenhum desencarnado vadio me olharia mais com cobiça.

"Então, está contente agora?" – indagou.

"Estou horrível! Você é uma artista!"

Fiquei a vagar com Lalá, íamos passear, pois ela sabia onde podíamos ir, alimentávamo-nos na ex-casa dela, vampirizando a sua rival. Lalá sabia que fazia mal a ela e estava ali por esse motivo.

Não fui mais à casa de Dulce e via meus filhos só de longe. Saber que estavam bem deixava-me tranquila.

Um dia, Lalá insistiu tanto que fomos ver o Geraldo, na prisão. Um espírito que guardava a porta nos barrou. Lalá lhe explicou que queríamos fazer uma visita a Geraldo de...[15]

"São parentes?"

"Sim" – respondeu Lalá.

"Esse moço é bem comportado, recebe sempre a visita da mãe desencarnada. Venham, levo vocês para vê-lo."

Não gostei do que vi, tanto os encarnados quanto os desencarnados vibravam negativamente, o ambiente era horrível. Logo estávamos na cela de Geraldo, que lia um livro.

Lalá, ao contrário, estava gostando, passeava à vontade. Logo que o viu, avançou sobre ele xingando-o.

"Assassino! Covarde!"

Geraldo parou de ler, sentiu-se mal e ficou nervoso. Um companheiro lhe perguntou o que tinha.

"Não sei" – Geraldo respondeu triste. – "Acho que vou enlouquecer, sou um ordinário, matei minha esposa inocente e um homem honrado."

---

15. Em prisões, delegacias, penitenciárias, existem equipes de trabalhadores do bem que dão assistência tanto aos encarnados como aos desencarnados que ficam ali. Porém, espíritos maus ali vão também, uns para se vingar, outros, como este guarda, tomam conta da portaria por não terem algo mais interessante a fazer, ou mesmo por gosto, até podendo ser a mando de alguma organização do umbral. (N.A.E.)

"Já sei sua história. Esquece!" – disse-lhe o companheiro.

"Não posso, o remorso me mata, sofro muito. Se pudesse pedir perdão a ela, ajoelharia aos seus pés."

Tive dó dele, fora sempre infeliz, agora sofria mais do que eu. Então, falei à minha amiga:

"Acho, Lalá, que não preciso me vingar. Geraldo já sofre muito. Vamos embora, aqui é horrível!"

Ao sair da prisão, dois espíritos horríveis nos pegaram. Esperneamos, lutamos, mas eles eram mais fortes e não conseguimos nos soltar. Fomos levadas para uma caverna no umbral, o local era horrível, sujo e fétido, fomos colocadas num canto. Não estávamos sozinhas, espíritos horríveis agrupavam-se. Apavorei-me. A cena que vi era pior que um filme de horror.

Lalá me disse baixinho:

"Loreta, procure não conversar, só fale quando for indagada e use a inteligência para se sair bem. Vamos nos separar, fuja logo que puder, que vou tratar também de sair daqui."

"Onde estamos?"

"Na zona inferior, no umbral, somos prisioneiras".

"Zona inferior, o que é isso? Somos prisioneiras de quem?"

"Zona inferior é o mesmo que inferno. Somos prisioneiras deles, dos que moram aqui. Não sei ao certo por que nos prenderam. Acho que é para nos tornar escravas. Quando eles necessitam de quem faça o trabalho para eles, aprisionam os que vagam para servi-los."

"Vai me deixar sozinha?" – falei com medo. "Foi você que me colocou nessa situação."

"Ingrata! Ajudo-a e você me trata assim."

Lalá sumiu.

Fiquei sentada num canto sem coragem de sair do lugar. Senti um medo horrível e me arrependi por não ter seguido os conselhos que me deram no centro espírita e por não ter ficado no posto de socorro. Não consegui saber por quanto tempo fiquei ali; o local estava na penumbra, clareava-o só uma pequena tocha fincada na parede. Meus ferimentos doíam muito e sentia fome e sede. Acho que depois de dois ou três dias vieram me buscar. Um sujeito horroroso me pegou pelo braço e me levou a uma outra caverna tão horrível quanto a primeira, só que estava mais clara e enfeitada por inúmeras caveiras. Num trono estava sentado um homem que me olhou observando, gelei. Mas, seguindo o conselho de Lalá, tentei ficar calma e pensei: "Se este cara está no trono é porque pensa ser rei ou algo parecido, devo me dirigir a ele como quer." Ajoelhei na frente do trono e abaixei a cabeça. O sujeito que me trouxe disse alto:

"Chefe, pegamos esta quando saía da penitenciária, foi visitar um detento."

"O que estava fazendo lá, ó infeliz?"

Sua voz parecia um trovão, grossa e forte, respondi com voz trêmula.

"Senhor, fui dar uma lição no maldito que me matou."

"Vingança, então? Adoro os que se vingam. Não me meto em vinganças particulares. Vingue-se como quiser, é seu direito. Deixe-a ir, é tão feia que enoja vê-la!" – falou, fazendo uma careta de nojo.

Levantei-me, o sujeito foi andando na frente e eu atrás, atravessamos outras cavernas e saímos.

"Vai, infeliz!" – disse meu acompanhante.

Ele voltou. Fiquei sozinha. O local estava escuro, uma pesada névoa me impedia de ver onde estava. Sentia-me perdida, mas, mesmo assim, andei, pois queria afastar-me dali com medo de ser presa novamente. Estava cansada, com dores, fome, frio e sede. Às vezes, via outros desencarnados a gemer, eram tão horríveis que me davam medo. Apavorada, continuei a andar.

"Vem por aqui, filha."

Senti alguém pegar meu braço e andamos por minutos. Logo vi uma claridade, mais alguns passos e estava na cidade. Soltei-me num puxão e corri.[16]

---

16. Um socorrista a ajudou, certamente. Se ela não corresse, ele poderia tê-la auxiliado melhor. (N.A.E.)

Era noite, andei até a praça, tomei da água do chafariz.[17] Deitei-me na grama, procurei descansar. Dormi e acordei com a luz do sol. Fitei-me nas águas do chafariz, estava horrível. Aquela sujeira e a maquiagem me incomodavam, mas sabia que era preferível. Se não estivesse assim, não teria saído do umbral. Bonita, seria cobiçada por algum deles. Sentia-me muito sozinha, minha única amiga era Lalá, estranha amiga, mas era minha companheira. Fui procurá-la no seu ex-lar e achei-a.

"Como saiu?" – ela quis saber.

"Acharam-me feia. E você?"

"Sou esperta, conheço tudo por lá. Venha alimentar-se. Depois levo-a para ver seus filhos."

Como prometeu, Lalá me levou para ver meus filhos. Chegando lá, Dulce conversava na calçada com uma vizinha:

"Dona Ivone, desde que fui ao centro espírita, tudo melhorou aqui em casa, meus sobrinhos estão bem, com saúde e não choram mais. Meu marido e eu os amamos como se fossem nossos. Eu me sinto bem e com saúde. Acho que Loreta entendeu que estava nos prejudicando e foi embora. Que Deus a ajude!"

Emocionei-me, vi meus filhos de longe, eles estavam brincando. Peguei na mão de Lalá e fomos embora.

---

17. Certamente da parte fluídica da água. (N.A.E.)

"Meus filhos, Lalá, já sofreram demais. Não posso prejudicá-los, nem a Dulce, ela e o marido cuidam bem deles."

"Por causa do Geraldo é que estão órfãos!"

"Não quero me vingar, que me importa ele? Sofre mais que eu! Não quero nem visitá-lo, é perigoso. Fomos presas lá."

"Você diz que ele sofre; e você, não? Só que ele é culpado e você inocente! Afinal o que é que você quer? É muito bonita e só me atrapalha. Não a quero mais perto de mim. Estou com muitos planos e você não faz parte deles. Adeus!"

Lalá foi embora, voltei à praça e pus-me a chorar. Chorei tanto que as lágrimas me lavaram o rosto.

"Que estranho! Você parece fantasiada de feia! Venha cá, boneca, vou lavá-la" – disse um desencarnado, mal-encarado, pegando-me pelo braço.

Tive que lutar com ele. Quando me largou, saí correndo e me escondi, ele ficou xingando. Quando vi que ele foi embora, voltei e me fitei nas águas do chafariz, estava com a maquiagem danificada, e aparecia uma parte bonita do meu rosto. Pensei e resmunguei:

"Meu Deus! Se fico bonita de novo não sei o que acontecerá comigo. Odeio ser bonita! Na Terra, entre os encarnados, não há lugar para mortos do corpo. Acho que tenho de ir para um lugar próprio. Necessito de ajuda, mas ajuda mesmo. Acho que vou naquele centro espírita, lá me trataram tão bem, talvez possam me ajudar."

Senti vergonha de pedir ajuda, depois de tê-la recusado e ter sido mal-educada. Mas o medo e a vontade de ser socorrida foram maiores e fui. Temi encontrar-me com desencarnados arruaceiros. Era dia e o centro espírita estava fechado. Bati na porta e aguardei. Uma pessoa desencarnada de aspecto agradável me atendeu.[18]

"Por favor, pelo amor de Deus me socorre, necessito de ajuda" – disse a chorar.

"Entre, sente aqui e tome isto.[19] Você sofreu muito para entender e pedir ajuda. Vamos ajudá-la. Logo a levaremos para um hospital."

Senti-me melhor, pois ali sentia proteção. De fato, logo me levaram para um hospital em um posto de socorro. Desta vez, foi diferente, fui obediente e logo me recuperei. Quando fiquei boa, passei a aprender e a trabalhar.

Loreta calou-se. Suspiramos juntas e sorrimos. Perguntei:

---

18. Em quase todos os centros espíritas, juntamente com a construção material, há uma construção da mesma matéria de que são feitas as colônias, cidades espirituais. A trabalhadora abriu a porta dessa construção e Loreta, com a ajuda dela, atravessou a porta material. (N.A.E.)

19. Deu-lhe água fluidificada. (N.A.E.)

– E Geraldo e seus filhos?

– Meus filhos estão bem, já estão mocinhos. Geraldo ainda está na prisão. Tenho ido vê-los quando tenho permissão.

– E o farmacêutico?

– Ele foi socorrido. Pessoa boa, aceitou o socorro e está muito bem, tentando ajudar o Geraldo.

– E Lalá?

– A esposa de seu ex-marido foi a um centro espírita buscar ajuda e está recebendo orientação e socorro; está bem em outra colônia. Patrícia, há muitas encarnações tenho sido vaidosa. Já fui casada com o espírito, que é Geraldo nesta, e o traí muitas vezes, fazendo-o sofrer muito por ciúme.

Calamos e meditamos. Mas logo lembrei que tinha de escrever a redação. Despedi-me de minha amiga.

– Loreta, tenho que ir. Obrigada!

Loreta sorriu, de fato é belíssima, uma da mais perfeitas belezas humanas que já vi.

No final deste curso, em meio à emoção e à euforia pelo objetivo alcançado, um novo sentimento começou a tomar conta de mim. Não estaria esse sentimento ligado à vitória e à conquista. Era um sentimento de plenitude, um prazer imenso de "viver", sentir em plenos poros da alma o amor que Deus tem pelo homem e por tudo o que é seu. Como sempre, não pude deixar de me lembrar das recomendações de meu pai, que muitas vezes não cheguei a compreender. Em certa ocasião, já desencarnada, e com imensas oportunidades de conhecer e estudar o que almejo fazer, ele me disse: "Patrícia, devemos buscar o conhecimento sem cessar e com todo empenho, mas ele não deve ser tido como fim e sim como meio. Pois arquivos mentais são coisas do passado e Deus não está no passado nem no futuro, Deus é atemporal. No seu tempo, o importante é viver a vida pela vida, o amar, o viver pela própria beleza do viver este imenso, infinito e amoroso Deus".

Naquele momento estava sendo agraciada, sentia-me parte una com o Pai. Feliz de ser o que era, ansiava profundamente atualizar todos os meus talentos para que, nesta ação, pudesse demonstrar todo o meu amor e carinho por aquele que é o Criador e Pai de todos nós.

Como o tempo corre depressa quando estamos felizes! O curso já acabava e pensávamos em planos para o futuro. Cada um de nós, com muito entusiasmo, planejava o que faria depois. Todos animados com as novas tarefas e contentes com o trabalho pela frente. Eu também fazia planos com muito carinho. Já havia escrito os livros que iria ditar à médium. Livros esses feitos com cuidado e muito amor, trabalho que os orientadores da casa aprovaram. Logo minha tia e eu trabalharíamos juntas. Tudo o que começa tem continuidade e término. Iria, por tempo determinado, trabalhar com a literatura, ditando minha vivência aos encarnados. Planejei também o que faria após este trabalho. Vou continuar a estudar em colônias de estudo. Mas meus conhecimentos não vão ficar sem dar frutos. Serei também instrutora, darei cursos. Isto é o que desejo e sonho. E querer, desencarnada, é quase sempre poder, principalmente para o espírito que pensa em progredir e ser útil. Eu quero e muito.

O trabalho de ditar os livros faço-o em horas diárias. Digo trabalhar, sim, porque todos os que exercem uma atividade intelectual, mental ou material estão trabalhando. E foi uma tarefa que fiz, fizemos com muito gosto. Não só trabalhava, quando ditava e a médium escrevia. Ficava com ela mais horas, enquanto ela fazia as tarefas diárias de dona de casa; conversávamos mentalmente, falando de fatos, de trechos que iríamos escrever à tarde. E não foi um ditado somente. No mínimo, foi escrito três vezes cada capítulo, e alguns pedaços muitas vezes mais. Tudo isso tentando fazer o melhor possível. Nessa ocasião, tive também o encargo de cuidar dela, da médium, de sua casa e família.

Mas tive muito tempo livre e não ficava ociosa. Ia muito ao meu lar terreno, ao centro espírita, às colônias onde tenho amigos. Fiz parte da equipe de ajuda a filiados na A Casa do Escritor. Meu cantinho continuou lá. Frequentava as reuniões tão agradáveis que a casa promove. Conversava nos seus pátios, onde o entusiasmo é constante.

Visitávamos muito as bancas do livro espírita por todo o Brasil e também ajudávamos, sempre que solicitados, as editoras, os revendedores e alguns leitores. Muitas pessoas, quando leem, pedem ajuda ao escritor, ao médium, se o livro é psicografado. Essas ajudas são particulares e quase sempre os pedidos nos chegam por meio de orações. Dificilmente o médium ou o escritor encarnado pode ajudar, nem sempre o escritor desencarnado pode ir no momento em seu auxílio. Mas a equipe vai, estuda, analisa o problema e, na medida do possível, a ajuda é realizada. Claro que não se pode fazer tudo o que nos pedem. Na maioria das vezes cabe ao encarnado resolver o problema. Mas só o fato de a equipe visitá-lo, o pedinte recebe fluidos salutares, bons, de entusiasmo e ânimo.

Nesse tempo participei de várias reencarnações de filiados. Muitos moradores que se preparavam há tempos decidiram encarnar e continuar a tarefa na carne. Houve também desencarnações esperadas que mereceram nossa ajuda. Muitos voltaram vitoriosos, outros cumpriram pela metade aquilo a que se propuseram.

Muitas e muitas vezes fomos aos filiados encarnados dar força e entusiasmo nos trabalhos desenvolvidos. Se espíritos maus os desanimam, cabe a nós animá-los. Porém, o encarnado tem seu livre-arbítrio e escuta quem quer.

Foi um trabalho proveitoso, no qual aprendi muito.

Certamente, quando eu partir, meu cantinho será ocupado, por isso tratei de deixá-lo como antes de ocupá-lo.

Mas, voltando ao término do curso, fizemos planos e pela bondade do Pai tudo deu certo, a euforia era grande. Não terminamos o curso como começamos. Nossos conhecimentos aumentaram, tornamo-nos mais capazes e amadurecidos. Não houve festa, mas uma reunião em que amigos e moradores da casa estavam presentes. Convidei muitos amigos e – que surpresa agradável! – quase todos compareceram. Frederico me presenteou com um lindo ramalhete de rosas azuis. Antônio Carlos, meu maior incentivador, não escondia seu contentamento. Vovó e amigos da Colônia São Sebastião foram também me cumprimentar. Amigos da Casa do Saber, do centro espírita, enfim, muitos ali estavam para me desejar êxito no trabalho que eu iniciara. Não achava fácil ditar aos encarnados, mas dois anos de estudo me davam um pouquinho de confiança. Nós oito, os formandos, estávamos felizes e emocionados, pois nesse tempo juntos tornamo-nos realmente amigos.

– A tarde parece diferente! – exclamou Ruth. – Talvez, se fosse em outro dia, não notaríamos a diferença. Mas como é hoje o término do nosso curso, sinto-a diferente. Acho que é porque estou muito feliz!

Ruth iria tentar, tanto como eu, ditar aos encarnados.

– Estou pronta para escrever. Mas o encarnado estará? – disse com um sorriso.

– Confie e trabalhe! – respondi.

Ruth estava pronta, era ótima em redação, fez o curso com louvor. Mas preocupava-se com a médium que iria servir de intermediária; ela estava desanimada e não perseverava nos treinos necessários. Todos nós tínhamos consciência das dificuldades que encontraríamos. Nada se realiza facilmente. Mas o entusiasmo em construir, em realizar, era forte em nós.

Com todos reunidos no salão principal, enfeitado com muitas flores, a reunião começou com uma prece agradecendo a oportunidade que o Criador nos dera.

O diretor da casa, que estava no cargo há dois meses, porque, como já foi dito, a direção faz rodízio, agradeceu a presença de todos e incentivou-nos ao estudo para que pudéssemos cada vez mais ajudar com sabedoria.

Também ouvimos Aureliano e Maria Adélia, esses dois mestres competentes e estudiosos, que nos cumprimentaram, motivando-nos a seguir sempre em frente e não parar diante das dificuldades.

André Luiz veio nos apadrinhar. Abraçou um por um os que concluíram o curso, dizendo palavras de carinho e incentivo. Brindou-nos com suas palavras.

– Caros convidados e caros companheiros! Uma nova tarefa os espera, e não pensem que não terão dificuldades a vencer. Dificuldades solucionadas são degraus que subimos no progresso. Façam seus trabalhos com entusiasmo e carinho. Insistam e realizem! Que seria de nós se Jesus não tivesse encarnado? Se ele, achando que seria inútil e que não valeria o esforço, não tivesse se revestido do corpo físico para nos ensinar? Como estaríamos sem seus ensinos fabulosos? Não nos igualamos ao Mestre, mas exemplifiquemos a sua conduta. Vamos fazer o que nos compete, mesmo que seja uma obra considerada pequena, porque é fazendo que um dia poderemos dizer: Está feito! Sintamos sempre na tarefa realizada a oportunidade que recebemos para progredir, fazer e realizar! Que todos consigam!

Palmas se ouviram pelo salão. Fomos abraçados e abraçamos. A alegria era única. Grata, guardei os acontecimentos na memória e no coração. Sentia-me sempre e cada vez mais feliz!

Fim

Ao terminar a leitura deste livro, talvez você tenha ficado com algumas dúvidas e perguntas a fazer, o que é um bom sinal. Sinal de que está em busca de explicações para a vida. Todas as respostas de que você precisa estão nas *Obras Básicas* de Allan Kardec.